FRIEDRICH HEBBEL

JUDITH

EINE TRAGÖDIE IN FÜNF AUFZÜGEN

PHILIPP RECLAM JUN. STUTTGART

Universal-Bibliothek Nr. 3161
Gesetzt in Petit Garamond-Antiqua. Printed in Germany 1971
Herstellung: Reclam Stuttgart
ISBN 3 15 003161 3

Friedrich Hebbel

Judith

Reclam

PERSONEN

Judith
Holofernes
Hauptleute des Holofernes
Kämmerer des Holofernes
Gesandte von Libyen
Gesandte von Mesopotamien
Soldaten und Trabanten
Mirza, *die Magd Judiths*
Ephraim
Die Ältesten von Bethulien
Priester in Bethulien
Bürger in Bethulien, *darunter:*
Ammon
Hosea
Ben
Assad und sein Bruder
Daniel, *stumm und blind,*
    gottbegeistert
Samaja, *Assads Freund*
Josua
Delia, *Weib des Samaja*
Achior, *der Hauptmann der*
    Moabiter
Assyrische Priester
Weiber, Kinder
Samuel, *ein uralter Greis*, und sein
    Enkel

*Die Handlung ereignet sich vor und in der
Stadt Bethulien*

ERSTER AUFZUG

Das Lager des Holofernes.

*Vorn, zur rechten Hand, das Zelt des Feldhauptmanns.
Zelte. Kriegsvolk und Getümmel. Den Hintergrund
schließt ein Gebirge, worin eine Stadt sichtbar ist.*

*Der Feldhauptmann Holofernes tritt mit seinen Haupt-
leuten aus dem offnen Zelt hervor. Musik erschallt. Er
macht nach einer Weile ein Zeichen. Die Musik ver-
stummt.*

Holofernes. Opfer!

Oberpriester. Welchem Gott?

Holofernes. Wem ward gestern geopfert?

Oberpriester. Wir losten nach deinem Befehl,
und das Los entschied für Baal.

Holofernes. So ist Baal heut' nicht hungrig. Bringt
das Opfer einem, den ihr alle kennt und doch nicht
kennt!

Oberpriester *(mit lauter Stimme)*. Holofernes
befiehlt, daß wir einem Gott opfern sollen, den wir
alle kennen und doch nicht kennen!

Holofernes *(lachend)*. Das ist der Gott, den ich
am meisten verehre.

(Es wird geopfert.)

Holofernes. Trabant!

Trabant. Was gebietet Holofernes?

Holofernes. Wer unter meinen Kriegern sich über
seinen Hauptmann zu beschweren hat, der tret' hervor. Verkünd es!

Trabant *(durch die Reihen der Soldaten gehend)*.
Wer sich über seinen Hauptmann zu beschweren hat,
der soll hervortreten. Holofernes will ihn hören.

Ein Krieger. Ich klage meinen Hauptmann an.

Holofernes. Weshalb?

Der Krieger. Ich hatt' mir im gestrigen Sturm eine

Sklavin erbeutet, so schön, daß ich schüchtern vor ihr
ward und sie nicht anzurühren wagte. Der Hauptmann kommt gegen Abend, da ich abwesend bin, in
mein Zelt, er sieht das Mägdlein und haut sie nieder,
da sie sich ihm widersetzt.

H o l o f e r n e s. Der angeklagte Hauptmann ist des
Todes! *(Zu einem Reisigen.)* Schnell. Aber auch der Klä-
ger. Nimm ihn mit. Doch stirbt der Hauptmann zuerst.

D e r K r i e g e r. Du willst mich mit ihm töten lassen?

H o l o f e r n e s. Weil du mir zu keck bist. Um euch
zu versuchen, ließ ich das Gebot ausgehen. Wollt'
ich deinesgleichen die Klage über eure Hauptleute
gestatten: wer sicherte mich vor den Beschwerden der
Hauptleute!

D e r K r i e g e r. Deinetwegen verschont' ich das Mädchen; dir wollt' ich sie zuführen.

H o l o f e r n e s. Wenn der Bettler eine Krone findet,
so weiß er freilich, daß sie dem König gehört. Der
König dankt ihm nicht lange, wenn er sie bringt. Doch
ich will dir deinen guten Willen lohnen, denn ich bin
heut' morgen gnädig. Du magst dich in meinem besten
Wein betrinken, bevor man dich tötet. Fort!

*(Der Soldat wird von dem Reisigen abgeführt in den
Hintergrund.)*

H o l o f e r n e s *(zu einem der Hauptleute)*. Laß die
Kamele zäumen!

H a u p t m a n n. Es ist bereits geschehen.

H o l o f e r n e s. Hatt' ich's denn schon befohlen?

H a u p t m a n n. Nein, aber ich durfte erwarten, daß
du's gleich befehlen würdest.

H o l o f e r n e s. Wer bist du, daß du wagst, mir meine
Gedanken aus dem Kopfe zu stehlen? Ich will es nicht,
dies zudringliche, zuvorkommende Wesen. Mein Wille
ist die Eins und euer Tun die Zwei, nicht umgekehrt.
Merk dir das!

H a u p t m a n n. Verzeihung! *(Geht ab.)*

H o l o f e r n e s *(allein)*. Das ist die Kunst, sich nicht
auslernen zu lassen, ewig ein Geheimnis zu bleiben!
Das Wasser versteht diese Kunst nicht; man setzte
dem Meer einen Damm und grub dem Fluß ein Bett.

Das Feuer versteht sie auch nicht, es ist so weit heruntergekommen, daß die Küchenjungen seine Natur erforscht haben, und nun muß es jedem Lump den Kohl gar machen. Nicht einmal die Sonne versteht sie, man hat ihr ihre Bahnen abgelauscht, und Schuster und Schneider messen nach ihrem Schatten die Zeit ab. Aber ich versteh sie. Da lauern sie um mich herum und gucken in die Ritzen und Spalten meiner Seele hinein und suchen aus jedem Wort meines Mundes einen Dietrich für meine Herzenskammer zu schmieden. Doch mein Heute paßt nie zum Gestern, ich bin keiner von den Toren, die in feiger Eitelkeit vor sich selbst niederfallen und einen Tag immer zum Narren des andern machen, ich hacke den heutigen Holofernes lustig in Stücke und geb ihn dem Holofernes von morgen zu essen; ich sehe im Leben nicht ein bloßes langweiliges Füttern, sondern ein stetes Um- und Wiedergebären des Daseins; ja es kommt mir unter all dem blöden Volk zuweilen vor, als ob ich allein da bin, als ob sie nur dadurch zum Gefühl ihrer selbst kommen können, daß ich ihnen Arm und Bein abhaue. Sie merken's auch mehr und mehr, aber statt nun näher zu mir heranzutreten und an mir hinaufzuklettern, ziehn sie sich armselig von mir zurück und fliehn mich wie der Hase das Feuer, das ihm den Bart versengen könnte. Hätt' ich doch nur einen Feind, nur einen, der mir gegenüberzutreten wagte! Ich wollt' ihn küssen, ich wollte, wenn ich ihn nach heißem Kampf in den Staub geworfen hätte, mich auf ihn stürzen und mit ihm sterben! Nebukadnezar ist leider nichts als eine hochmütige Zahl, die sich dadurch die Zeit vertreibt, daß sie sich ewig mit sich selbst multipliziert. Wenn ich mich und Assyrien abziehe, so bleibt nichts übrig als eine mit Fett ausgestopfte Menschenhaut. Ich will ihm die Welt unterwerfen, und wenn er sie hat, will ich sie ihm wieder abnehmen!

Ein Hauptmann. Von unserm großen König trifft soeben ein Bote ein.

Holofernes. Führe ihn augenblicklich zu mir. *(Für sich.)* Nacken, bist du noch gelenkig genug, dich zu

beugen? Nebukadnezar sorgt dafür, daß du's nicht
verlernest.

B o t e. Nebukadnezar, vor dem die Erde sich krümmt,
und dem Macht und Herrschaft gegeben ist vom Auf-
gang bis zum Niedergang, entbietet seinem Feldhauptmann Holofernes den Gruß der Gewalt.

H o l o f e r n e s. In Demut harr ich seiner Befehle.

B o t e. Nebukadnezar will nicht, daß fernerhin andre
Götter verehrt werden neben ihm.

H o l o f e r n e s *(stolz).* Wahrscheinlich hat er diesen
Entschluß gefaßt, als er die Nachricht von meinen
neuesten Siegen empfing.

B o t e. Nebukadnezar gebietet, daß man ihm allein
opfern und die Altäre und Tempel der andern Götter
mit Feuer und Flamme vertilgen soll.

H o l o f e r n e s *(für sich).* Einer statt so vieler, das ist
ja recht bequem! Niemand aber hat's bequemer als
der König selbst. Er nimmt seinen blanken Helm in
die Hand und verrichtet seine Andacht vor seinem
eigenen Bilde. Nur vor Bauchgrimmen muß er sich
hüten, damit er nicht Gesichter schneide und sich selbst
erschrecke. *(Laut.)* Nebukadnezar hat gewiß im letzten Monat kein Zahnweh mehr gehabt?

B o t e. Wir danken den Göttern dafür.

H o l o f e r n e s. Du willst sagen, ihm selbst.

B o t e. Nebukadnezar gebietet, daß man ihm jeden
Morgen bei Sonnenaufgang ein Opfer darbringen soll.

H o l o f e r n e s. Heute ist's leider schon zu spät; wir
wollen seiner bei Sonnenuntergang gedenken!

B o t e. Nebukadnezar gebietet endlich noch dir, Holofernes, daß du dich schonen und dein Leben nicht
jedem Unfall preisgeben sollst.

H o l o f e r n e s. Ja, Freund, wenn die Schwerter ohne
die Männer nur etwas Erkleckliches ausrichten könnten. Und dann — sieh, ich greife mein Leben durch
nichts so sehr an, als durch Trinken auf des Königs
Gesundheit, und das kann ich doch unmöglich ein-
stellen.

B o t e. Nebukadnezar sagte, keiner seiner Diener könne
dich ersetzen, und er habe noch viel für dich zu tun.

H o l o f e r n e s. Gut, ich werde mich selbst lieben, weil
mein König es befiehlt. Ich küsse den Schemel seiner
Füße.

(Bote ab.)

H o l o f e r n e s. Trabant!

T r a b a n t. Was gebietet Holofernes?

H o l o f e r n e s. Es ist kein Gott außer Nebukadnezar.
Verkünd es.

T r a b a n t *(geht durch die Reihen der Soldaten).* Es ist
kein Gott außer Nebukadnezar.

(Ein Oberpriester geht vorüber.)

H o l o f e r n e s. Priester, du hast gehört, was ich aus-
rufen ließ?

P r i e s t e r. Ja.

H o l o f e r n e s. So gehe hin und zertrümmre den Baal,
den wir mit uns schleppen. Ich schenke dir das Holz.

P r i e s t e r. Wie kann ich zertrümmern, was ich an-
gebetet habe?

H o l o f e r n e s. Baal mag sich wehren. Eins von bei-
dem: Du zertrümmerst den Gott, oder du hängst dich
auf.

P r i e s t e r. Ich zertrümmre. *(Für sich.)* Baal trägt
goldene Armbänder.

H o l o f e r n e s *(allein).* Verflucht sei Nebukadnezar!
Verflucht sei er, weil er einen großen Gedanken hatte,
einen Gedanken, den er nicht zu Ehren bringen, den
er nur verhunzen und lächerlich machen kann! Wohl
fühlt' ich's längst: Die Menschheit hat nur den *einen*
großen Zweck, einen Gott aus sich zu gebären; und
der Gott, den sie gebiert, wie will er zeigen, daß er's
ist, als dadurch, daß er sich ihr zum ewigen Kampf
gegenüberstellt, daß er all die törichten Regungen des
Mitleids, des Schauderns vor sich selbst, des Zurück-
schwindelns vor seiner ungeheuren Aufgabe unter-
drückt, daß er sie zu Staub zermalmt und ihr noch in
der Todesstunde den Jubelruf abzwingt? — Nebukadnezar weiß sich's leichter zu machen. Der Ausrufer
muß ihn zum Gott stempeln, und ich soll der Welt
den Beweis liefern, daß er's sei!

(Der Oberpriester geht vorüber.)

Holofernes. Ist Baal zertrümmert?

Priester. Er lodert in Flammen; mög' er's vergeben.

Holofernes. Es ist kein Gott, als Nebukadnezar.
Dir befehl ich, die Gründe dafür aufzufinden. Jeden
Grund bezahl ich mit einer Unze Goldes, und drei
Tage hast du Zeit.

Priester. Ich hoffe, dem Befehl zu genügen. *(Ab.)*

Ein Hauptmann. Gesandte eines Königs bitten
um Gehör.

Holofernes. Welches Königs?

Hauptmann. Verzeih. Man kann die Namen all
der Könige, die sich vor dir demütigen, unmöglich
behalten.

Holofernes *(wirft ihm eine goldene Kette zu)*. Die
erste Unmöglichkeit, die mir gefällt. Führe sie vor.

Gesandte *(werfen sich zu Boden)*. So wird der König von Libyen sich vor dir in den Staub werfen,
wenn du ihm die Gnade erzeigst, in seiner Hauptstadt
einzuziehen.

Holofernes. Warum kamt ihr nicht schon gestern,
warum nicht vorgestern?

Gesandte. Herr!

Holofernes. War die Entfernung zu groß oder die
Ehrfurcht zu klein?

Gesandte. Weh uns!

Holofernes *(für sich)*. Grimm füllt meine Seele,
Grimm gegen Nebukadnezar. Ich muß schon gnädig
sein, damit dies Wurmgeschlecht sich nicht überhebt
und sich für den Quell meines Grimmes hält. *(Laut.)*
Stehet auf und sagt eurem König —

Hauptmann *(tritt auf)*. Gesandte von Mesopotamien!

Holofernes. Führe sie herein.

Mesopotamische Gesandte *(werfen sich zur
Erde)*. Mesopotamien bietet dem großen Holofernes
Unterwerfung, wenn es dadurch seine Gnade erlangen
kann.

Holofernes. Meine Gnade verschenk ich, ich ver-
kauf sie nicht.

Mesopotamische Gesandte. Nicht so. Meso-

potamien unterwirft sich unter jeder Bedingung, es
hofft bloß auf Gnade.

Holofernes. Ich weiß nicht, ob ich diese Hoffnung
erfüllen darf. Ihr habt lange gezögert.

Mesopotamische Gesandte. Nicht länger, als
es der weite Weg mit sich brachte.

Holofernes. Einerlei. Ich habe geschworen, daß ich
das Volk, welches sich zuletzt vor mir demütigen
würde, vertilgen will. Ich muß den Schwur halten.

Mesopotamische Gesandte. Wir sind die
letzten nicht. Unterwegs hörten wir, daß die Ebräer,
unter allen die einzigen, dir trotzen wollen und sich
verschanzt haben.

Holofernes. Dann bringt eurem König die Bot-
schaft, daß ich die Unterwerfung annehme. Auf welche
Bedingungen: das wird er durch denjenigen meiner
Hauptleute erfahren, den ich wegen der Erfüllung an
ihn absenden werde. *(Zu den libyschen Gesandten.)*
Sagt eurem König dasselbe. *(Zu den mesopotamischen
Gesandten.)* Wer sind die Ebräer?

Mesopotamische Gesandte. Herr, dies ist ein
Volk von Wahnsinnigen. Du siehst es schon daraus,
daß sie sich dir zu widersetzen wagen. Noch mehr
magst du es daran erkennen, daß sie einen Gott an-
beten, den sie nicht sehen noch hören können, von
dem niemand weiß, wo er wohnt, und dem sie doch
Opfer bringen, als ob er wild und drohend, wie unsre
Götter, vom Altar auf sie herabschaute. Sie wohnen
im Gebirge.

Holofernes. Welche Städte haben sie, was ver-
mögen sie, welcher König herrscht über sie, wieviel
Kriegsvolk steht ihm zu Gebot?

Mesopotamische Gesandte. Herr, dies Volk
ist verstockt und mißtrauisch. Wir wissen von ihnen
nicht viel mehr, wie sie selbst von ihrem unsichtbaren
Gott wissen. Sie scheuen die Berührung mit fremden
Völkern. Sie essen und trinken nicht mit uns, höch-
stens schlagen sie sich mit uns.

Holofernes. Wozu redest du, wenn du meine Frage
nicht beantworten kannst? *(Macht ein Zeichen mit der*

Hand; die Gesandten, unter Kniebeugungen und Nie-
derfallen, gehen ab.) Die Hauptleute der Moabiter
und Ammoniter sollen vor mir erscheinen. *(Trabant*
ab.) Ich achte ein Volk, das mir Widerstand leisten
will. Schade, daß ich alles, was ich achte, vernichten
muß.

(Die Hauptleute treten auf, unter ihnen Achior.)

H o l o f e r n e s. Was ist das für ein Volk, das im Gebirge wohnt?

A c h i o r. Herr, ich kenn es wohl, dies Volk, und ich
will dir sagen, wie es damit bestellt ist. Dies Volk ist
verächtlich, wenn es auszieht mit Spießen und Schwer-
tern, die Waffen sind eitel Spielwerk in seiner Hand,
das sein eigener Gott zerbricht, denn er will nicht,
daß es kämpfen und sich mit Blut beflecken soll, er
allein will seine Feinde vernichten; aber furchtbar ist
dies Volk, wenn es sich demütigt vor seinem Gott, wie
er es verlangt, wenn es sich auf die Knie wirft und
sich das Haupt mit Asche bestreut, wenn es Wehklagen
ausstößt und sich selbst verflucht; dann ist es, als ob
die Welt eine andere wird, als ob die Natur ihre eigenen Gesetze vergißt, das Unmögliche wird wirklich,
das Meer teilt sich, also, daß die Gewässer fest auf
beiden Seiten stehen wie Mauern, zwischen denen eine
Straße sich hinzieht, vom Himmel fällt Brot herab,
und aus dem Wüstensand quillt ein frischer Trunk!

H o l o f e r n e s. Wie heißt ihr Gott?

A c h i o r. Sie halten es für Raub an ihm, seinen Namen
auszusprechen, und würden den Fremden, der dies tun
wollte, gewiß töten.

H o l o f e r n e s. Was haben sie für Städte?

A c h i o r *(deutet auf die Stadt im Gebirge).* Bethulien
heißt die Stadt, die uns zunächst liegt und die du dort
siehst. Diese haben sie verschanzt. Ihre Hauptstadt
aber heißt Jerusalem. Ich war dort und sah den Tempel ihres Gottes. Er hat auf Erden seinesgleichen nicht.
Mir war's, wie ich bewundernd vor ihm stand, als ob
sich mir etwas auf den Nacken legte und mich zu
Boden drückte; ich lag mit einmal auf den Knien und
wußte selbst nicht, wie das kam. Fast hätten sie mich

gesteinigt, denn als ich mich wieder erhob, fühlt' ich
einen unwiderstehlichen Drang, in das Heiligtum ein-
zutreten, und darauf steht der Tod. — Ein schönes
Mädchen vertrat mir den Weg und sagte mir das; ich
weiß nicht, war's aus Mitleid mit meiner Jugend oder
aus Furcht vor der Verunreinigung des Tempels durch
einen Heiden. Nun höre auf mich, o Herr, und achte
meine Worte nicht gering. Laß forschen, ob dies Volk
sich versündigt hat wider seinen Gott; ist das, so laß
uns hinaufziehn, dann gibt ihr Gott sie dir gewiß in
die Hände und du wirst sie leicht unter deine Füße
bringen. Haben sie sich aber nicht versündigt wider
ihren Gott, so kehre um; denn ihr Gott wird sie beschirmen und wir werden zum Spott dem ganzen
Lande. Du bist ein gewaltiger Held, aber ihr Gott ist
zu mächtig; kann er dir niemand entgegenstellen, der
dir gleicht, so kann er dich zwingen, daß du dich
wider dich selbst empörst und dich mit eigener Hand
aus dem Wege räumst.

Holofernes. Weissagest du mir aus Furcht oder
Arglist des Herzens? Ich könnte dich strafen, weil
du dich erfrechst, neben mir noch einen andern zu
fürchten. Aber ich will's nicht tun, du sollst dir selbst
zum Gericht gesprochen haben. Was die Ebräer erwartet, das erwartet auch dich! Ergreift ihn und
führt ihn ungefährdet hin! *(Es geschieht.)* Und wer
ihn bei Einnahme der Stadt niedermacht und mir sein
Haupt bringt, dem wäg ich's auf mit Gold! *(Mit er-
hobener Stimme.)* Nun auf gen Bethulien!
  (Der Zug setzt sich in Bewegung.)

Gemach der Judith.

Judith und Mirza am Webstuhl.

J u d i t h. Was sagst du zu diesem Traum?

M i r z a. Ach, höre lieber auf das, was ich dir sagte.

J u d i t h. Ich ging und ging und mir war's ganz eilig,
und doch wußt' ich nicht, wohin mich's trieb. Zuweilen stand ich still und sann nach, dann war's mir, als
ob ich eine große Sünde beginge; fort, fort! sagt' ich
zu mir selbst und ging schneller wie zuvor.

M i r z a. Eben ging Ephraim vorbei. Er war ganz
traurig.

J u d i t h *(ohne auf sie zu hören).* Plötzlich stand ich
auf einem hohen Berg, mir schwindelte, dann ward
ich stolz, die Sonne war mir so nah', ich nickte ihr zu
und sah immer hinauf. Mit einmal bemerkt' ich einen
Abgrund zu meinen Füßen, wenige Schritte von mir,
dunkel, unabsehlich, voll Rauch und Qualm. Und ich
vermochte nicht zurückzugehen noch stillzustehen, ich
taumelte vorwärts! Gott! Gott! rief ich in meiner
Angst — hie bin ich! tönte es aus dem Abgrund herauf, freundlich, süß; ich sprang, weiche Arme fingen
mich auf, ich glaubte, einem an der Brust zu ruhen,
den ich nicht sah, und mir ward unsäglich wohl, aber
ich war zu schwer, er konnte mich nicht halten, ich
sank, sank, ich hört' ihn weinen, und wie glühende
Tränen träufelte es auf meine Wange. —

M i r z a. Ich kenne einen Traumdeuter. Soll ich ihn zu
dir rufen?

J u d i t h. Leider ist's gegen das Gesetz. Aber das weiß
ich, solche Träume soll man nicht gering achten! Sieh,
ich denke mir das so. Wenn der Mensch im Schlaf
liegt, aufgelöst, nicht mehr zusammengehalten durch
das Bewußtsein seiner selbst, dann verdrängt ein Gefühl der Zukunft alle Gedanken und Bilder der Gegen-
wart, und die Dinge, die kommen sollen, gleiten als
Schatten durch die Seele, vorbereitend, warnend, trö-

stend. Daher kommt's, daß uns so selten oder nie
etwas wahrhaft überrascht, daß wir auf das Gute
schon lange vorher so zuversichtlich hoffen und vor
jedem Übel unwillkürlich zittern. Oft hab ich gedacht,
ob der Mensch wohl auch noch kurz vor seinem Tode
träumt.

M i r z a. Warum hörst du nie, wenn ich dir von Ephraim spreche?

J u d i t h. Weil mich's vor Männern schaudert.

M i r z a. Und hast doch einen Mann gehabt!

J u d i t h. Ich muß dir ein Geheimnis anvertrauen.
Mein Mann war wahnsinnig.

M i r z a. Unmöglich. Wie wäre mir das entgangen?

J u d i t h. Er war es, ich muß es so nennen, wenn ich
nicht vor mir selbst erschrecken, wenn ich nicht glauben soll, daß ich ein grauenhaftes, fürchterliches Wesen bin. Sieh, keine vierzehn Jahr' war ich alt, da ward
ich dem Manasses zugeführt. Du wirst des Abends
noch gedenken, du folgtest mir. Mit jedem Schritt, den
ich tat, ward mir beklommener, bald meint' ich, ich
sollte aufhören zu leben, bald, ich sollte erst anfangen.
Ach, und der Abend war so lockend, so verführerisch,
man konnt' ihm nicht widerstehen; der warme Wind
hob meinen Schleier, als wollt' er sagen: Nun ist's
Zeit; aber ich hielt ihn fest, denn ich fühlte, wie mein
Gesicht glühte, und ich schämte mich dessen. Mein
Vater ging an meiner Seite, er war sehr ernsthaft und
sprach manches, worauf ich nicht hörte, zuweilen
schaut' ich zu ihm auf, dann dacht' ich: Manasses sieht
gewiß anders aus. Hast du denn all das nicht bemerkt?
Du warst ja auch dabei.

M i r z a. Ich schämte mich mit dir.

J u d i t h. Endlich kam ich in sein Haus, und seine alte
Mutter trat mir mit einem feierlichen Gesicht entgegen.
Es kostete mir Überwindung, sie Mutter zu nennen;
ich glaubte, meine Mutter müsse das in ihrem Grabe
fühlen, und es müsse ihr weh tun. Dann salbtest du
mich mit Narden und Öl, da hatt' ich doch wahrlich
eine Empfindung, als wär' ich tot und würde als Tote
gesalbt; du sagtest auch, ich würde bleich. Nun kam

Manasses, und als er mich anschaute, erst schüchtern,
dann dreist und immer dreister, als er zuletzt meine
Hand faßte und etwas sagen wollte und nicht konnte,
da war mir's ganz so, als ob ich in Brand gesteckt
würde, als ob es lichterloh aus mir herausflammte.
Verzeih, daß ich dies sage.

Mirza. Du preßtest dein Gesicht erst einige Augen-
blicke in deine Hände, dann sprangst du schnell auf
und fielst ihm um den Hals. Ich erschrak ordentlich.

Judith. Ich sah es und laute dich aus, ich dünkte
mich mit einmal viel klüger als du. Nun höre weiter,
Mirza. Wir gingen in die Kammer hinein; die Alte tat
allerlei seltsame Dinge und sprach etwas wie einen
Segen; mir ward doch wieder schwer und ängstlich,
als ich mich mit Manasses allein befand. Drei Lichter
brannten, er wollte sie auslöschen; laß, laß, sagte ich
bittend; Närrin! sagte er und wollte mich fassen —
da ging eins der Lichter aus, wir bemerkten's kaum;
er küßte mich — da erlosch das zweite. Er schauderte
und ich nach ihm, dann lacht' er und sprach: Das dritte
lösch ich selbst; schnell, schnell, sagte er, denn es über-
lief mich kalt; er tat's. Der Mond schien hell in die
Kammer, ich schlüpfte ins Bett, er schien mir gerade
ins Gesicht. Manasses rief: Ich sehe dich so deutlich
wie am Tage, und kam auf mich zu. Auf einmal blieb
er stehen; es war, als ob die schwarze Erde eine Hand
ausgestreckt und ihn von unten damit gepackt hätte.
Mir ward's unheimlich; komm, komm! rief ich und
schämte mich gar nicht, daß ich's tat. Ich kann ja nicht,
antwortete er dumpf und bleiern, ich kann nicht! wie-
derholte er noch einmal und starrte schrecklich mit
weit aufgerissenen Augen zu mir herüber, dann
schwankte er zum Fenster und sagte wohl zehnmal
hintereinander: Ich kann nicht! Er schien nicht mich,
er schien etwas Fremdes, Entsetzliches zu sehen.

Mirza. Unglückliche!

Judith. Ich fing an, heftig zu weinen, ich kam mir
verunreinigt vor, ich haßte und verabscheute mich. Er
gab mir liebe, liebe Worte, ich streckte die Arme nach
ihm aus, aber statt zu kommen, begann er leise zu

beten. Mein Herz hörte auf zu schlagen, mir war, als
ob ich einfröre in meinem Blut; ich wühlte mich in
mich selbst hinein wie in etwas Fremdes, und als ich
mich zuletzt nach und nach in Schlaf verlor, hatt' ich
ein Gefühl, als ob ich erwachte. Am andern Morgen
stand Manasses vor meinem Bett, er sah mich mit un-
endlichem Mitleid an, mir ward's schwer, ich hätte
ersticken mögen; da war's, als ob etwas in mir riß,
ich brach in ein wildes Gelächter aus und konnte wieder atmen. Seine Mutter blickte finster und spöttisch
auf mich, ich merkte, daß sie gelauscht hatte, sie sagte
kein Wort zu mir und trat flüsternd mit ihrem Sohn
in eine Ecke. Pfui! rief er auf einmal laut und zornig,
Judith ist ein Engel! setzte er hinzu und wollte mich
küssen, ich weigerte ihm meinen Mund, er nickte son-
derbar mit dem Kopf, es schien ihm recht zu sein.
(Nach einer langen Pause.) Sechs Monate war ich sein
Weib — er hat mich nie berührt.

M i r z a. Und —?

J u d i t h.° Wir gingen so eins neben dem andern hin,
wir fühlten, daß wir zueinander gehörten, aber es war,
als ob etwas zwischen uns stände, etwas Dunkles,
Unbekanntes. Zuweilen ruhte sein Auge mit einem
Ausdruck auf mir, der mich schaudern machte; ich
hätte ihn in einem solchen Moment erwürgen können,
aus Angst, aus Notwehr, sein Blick bohrte wie ein
Giftpfeil in mich hinein. Du weißt, es war vor drei
Jahren in der Gerstenernte, da kam er krank vom
Felde zurück und lag nach dritthalb Tagen im Sterben. Mir war's, als wollt' er sich mit einem Raub an
meinem Innersten davonschleichen, ich haßte ihn, seiner Krankheit wegen, mir schien's, als ob er mich mit
seinem Tode wie mit einem Frevel bedrohte. Er darf
nicht sterben, rief's in meiner Brust — er darf sein
Geheimnis nicht mit ins Grab hinunternehmen, du
mußt Mut fassen und ihn endlich fragen. Manasses —
sprach ich und beugte mich über ihn — was war das in
in unsrer Hochzeitsnacht? — Sein dunkles Auge war
schon zugefallen, er schlug es mühsam wieder auf, ich
schauderte, denn er schien sich aus seinem Leibe wie

aus einem Sarge zu erheben. Er sah mich lange an,
dann sagte er: Ja, ja, ja, jetzt darf ich's dir sagen,
du . . . Aber schnell, als ob ich's nimmermehr wissen
dürfte, trat der Tod zwischen mich und ihn und verschloß seinen Mund auf ewig. *(Nach einem großen
Stillschweigen.)* Sag, Mirza, muß ich nicht selbst
wahnsinnig werden, wenn ich aufhöre, Manasses für
wahnsinnig zu halten?

M i r z a. Ich schaudere.

J u d i t h. Du hast oft gesehen, daß ich manchmal, wenn
ich still am Webstuhl oder bei sonst einer Arbeit zu
sitzen scheine, plötzlich ganz zusammenfalle und zu
beten anfange. Man hat mich deswegen fromm und
gottesfürchtig genannt. Ich sage dir, Mirza, wenn ich
das tue, so geschieht's, weil ich mich vor meinen Gedanken nicht mehr zu retten weiß. Mein Gebet ist
dann ein Untertauchen in Gott, es ist nur eine andere
Art von Selbstmord, ich springe in den Ewigen hinein,
wie Verzweifelnde in ein tiefes Wasser . . .

M i r z a *(mit Gewalt ablenkend)*. Du solltest lieber in
solchen Augenblicken vor einen Spiegel treten. Vor
dem Glanz deiner Jugend und Schönheit würden die
Nachtgespenster scheu und geblendet entweichen.

J u d i t h. Ha, Törin, kennst du die Frucht, die sich selber essen kann? Du wärest besser nicht jung und
nicht schön, wenn du es für dich allein sein mußt. Ein
Weib ist ein Nichts; nur durch den Mann kann sie
etwas werden; sie kann Mutter durch ihn werden.
Das Kind, das sie gebiert, ist der einzige Dank, den
sie der Natur für ihr Dasein darbringen kann. Unselig sind die Unfruchtbaren, doppelt unselig bin ich,
die ich nicht Jungfrau bin und auch nicht Weib!

M i r z a. Wer verbietet's dir, auch für andere, auch für
einen geliebten Mann jung und schön zu sein? Hast
du nicht unter den Edelsten die Wahl?

J u d i t h *(sehr ernst)*. Du hast mich in nichts verstan-
den. Meine Schönheit ist die der Tollkirsche; ihr Ge-
nuß bringt Wahnsinn und Tod!

E p h r a i m *(tritt hastig herein)*. Ha, ihr seid so ruhig,
und Holofèrnes steht vor der Stadt!

M i r z a. So sei Gott uns gnädig!

E p h r a i m. Wahrlich, Judith, wenn du gesehen hättest,
was ich sah, du würdest zittern. Man möchte schwö-
ren, alles, was Furcht und Schrecken einflößen kann,
sei im Solde des Heiden. Diese Menge von Kamelen
und Rossen, von Wagen und Mauerbrechern! Ein
Glück, daß Wälle und Tore keine Augen haben! Sie
würden vor Angst einstürzen, wenn sie all den Greuel
erblicken könnten!

J u d i t h. Ich glaube, du sahest mehr wie andere.

E p h r a i m. Ich sage dir, Judith, es gibt keinen in ganz
Bethulien, der jetzt nicht aussieht, als ob er das Fieber
hätte. Du scheinst wenig vom Holofernes zu wissen,
ich weiß um so mehr von ihm. Jedes Wort aus seinem
Munde ist ein reißendes Tier. Wenn es des Abends
dunkel wird . . .

J u d i t h. So läßt er Lichter anzünden.

E p h r a i m. Das tun wir, ich und du! Er läßt Dörfer
und Städte in Brand stecken und sagt: Dies sind meine
Fackeln! Ich hab sie billiger wie andere. Und er meint
sehr gnädig zu sein, wenn er bei der Glut einer und
derselben Stadt sein Schwert putzen und seinen Braten
schmoren läßt. Als er Bethulien erblickte, soll er ge-
lacht und seinen Koch spöttisch gefragt haben: Meinst
du, daß du ein Straußenei dabei rösten kannst?

J u d i t h. Ich möcht' ihn sehen! *(Für sich.)* Was sagt'
ich da!

E p h r a i m. Wehe dir, wenn du von ihm gesehen würdest! Holofernes tötet die Weiber durch Küsse und Um-
armungen wie die Männer durch Spieß und Schwert.
Hätte er dich in den Mauern der Stadt gewußt:
Deinetwegen allein wäre er gekommen!

J u d i t h *(lächelnd)*. Möcht' es so sein! Dann braucht'
ich ja nur zu ihm hinauszugehen, und Stadt und Land
wäre gerettet!

E p h r a i m. Du allein hast das Recht, diesen Gedanken
auszudenken!

J u d i t h. Und warum nicht? Eine für alle, und eine,
die sich immer umsonst fragte: Wozu bist du da? Ha,
und wenn er nicht meinetwegen kam, wär' er nicht

dahin zu bringen, daß er meinetwegen gekommen zu
sein glaubte? Ragt der Riese mit seinem Haupt so
hoch in die Wolken hinein, daß ihr ihn nicht erreichen
könnt, ei, so werft ihm einen Edelstein vor die Füße;
er wird sich bücken, um ihn aufzuheben, und dann
überwältigt ihr ihn leicht.

E p h r a i m *(für sich).* Mein Plan war einfältig. Was
ihr Angst einjagen und sie mir in die Arme treiben
sollte, macht sie kühn. Ich komme mir wie gerichtet
vor, wenn ich ihr ins Auge schaue. Ich hoffte, sie sollte
in dieser allgemeinen Not sich nach einem Beschützer
umsehen, und wer war ihr näher wie ich. *(Laut.)*
Judith, du bist so mutig, daß du aufhörst, schön zu
sein.

J u d i t h. Wenn du ein Mann bist, so darfst du mir
das sagen!

E p h r a i m. Ich bin ein Mann und darf dir mehr sagen.
Sieh, Judith, es kommen schlimme Zeiten, Zeiten, in
denen niemand sicher ist, als die in den Gräbern wohnen. Wie willst du sie bestehen, die du nicht Vater,
nicht Bruder, nicht Gatten hast?

J u d i t h. Du willst doch den Holofernes nicht zu deinem Freiwerber machen?

E p h r a i m. Spotte nur, aber höre. Ich weiß, daß du
mich verschmähst, und hätte sich die Welt um uns her
nicht so drohend verändert, ich wäre dir nicht wieder
unter die Augen getreten. Siehst du dies Messer?

J u d i t h. Es ist so blank, daß ich mein eigenes Bild
darin erblicken kann.

E p h r a i m. Ich schliff es den Tag, an dem du mich
hohnlachend von dir stießest, und wahrlich, stünden
jetzt die Assyrer nicht vor dem Tore, so stäke es schon
in meiner Brust! Dann hättest du es nicht als Spiegel
gebrauchen können, denn mein Blut würde es rostig
gemacht haben!

J u d i t h. Gib her. *(Sie sticht nach seiner Hand, die er
zurückzieht.)* Pfui! Du wagst von Selbstmord zu reden
und zitterst vor einem Stich in die Hand.

E p h r a i m. Du stehst vor mir, ich sehe dich, ich höre
dich, jetzt lieb ich mich selbst, denn ich fühle mich

nicht mehr, ich bin voll von *dir!* So etwas gelingt nur
in finstrer Nacht, wo im Herzen nichts mehr wacht
als der Schmerz, wo der Tod die Seele zusammen-
drückt, wie der Schlaf die Augen, und wo man nur
willenlos auszuführen glaubt, was eine unsichtbare
Macht gebietet. Oh, ich kenn's, denn ich war so weit,
daß ich selbst nicht weiß, warum ich nicht weiter ging!
Das hat mit Mut und Feigheit nichts zu tun, es ist
wie ein Abriegeln der Tür, wenn man schlafen will!
(Judith reicht ihm die Hand.)
Judith, ich liebe dich, du liebst mich nicht. Du kannst
für das eine nicht, ich kann nicht für das andere. Aber
weißt du, was das heißt, zu lieben und verschmäht zu
werden? Das ist nicht wie sonst ein Leid. Nimmt man
mir heute etwas, so lern ich morgen, daß ich's ent-
behren kann. Schlägt man mir eine Wunde, so hab
ich Gelegenheit, mich im Heilen zu versuchen. Aber,
behandelt man meine Liebe wie eine Torheit, so macht
man das Heiligste in meiner Brust zur Lüge. Denn
wenn das Gefühl, was mich zu dir hinzieht, mich be-
trügt, welche Bürgschaft hab ich, daß das, was mich
vor Gott darniederwirft, Wahrheit ist?

M i r z a. Fühlst du's nicht, Judith?

J u d i t h. Kann Liebe Pflicht sein? Muß ich diesem
meine Hand reichen, damit er seinen Dolch fallen
läßt? Fast glaub ich's!

E p h r a i m. Judith, ich werb noch einmal um dich! Das
heißt, ich werb um die Erlaubnis, für dich zu sterben.
Ich will nichts als der Schild sein, an dem die Schwerter, die dich bedrohen, sich stumpf hacken!

J u d i t h. Ist dies derselbe Mensch, den ein Blick auf
das Lager der Feinde entseelt zu haben schien? Der
mir vorkam wie einer, dem ich einen von meinen
Röcken borgen müsse? Sein Auge flammt, seine Faust
ballt sich! O Gott, ich achte so gern, mir ist, als schnitt'
ich in mein eignes Fleisch hinein, wenn ich jemanden
verachten muß! Ephraim, ich habe dir weh getan! Es
schmerzt mich! Ich wollte aufhören, in deinen Augen
liebenswert zu sein, denn ich konnte dir nichts gewäh-
ren, darum spottete ich dein. Ich will dich belohnen,

ich kann's! Aber weh dir, wenn du mich jetzt nicht
verstehst, wenn, sowie ich das Wort ausspreche, die
Tat nicht, gebietend wie die Notwendigkeit selbst, vor
deine Seele hintritt, wenn dir's nicht ist, als lebtest du
nur, um sie zu vollbringen. Geh hin und töte den
Holofernes! Dann — dann fordere von mir den Lohn,
den du willst!

E p h r a i m. Du rasest! Den Holofernes töten in der
Mitte der Seinen? Wie wär's möglich!

J u d i t h. Wie es möglich ist? Weiß ich's? Dann tät'
ich's selbst! Ich weiß nur, daß es nötig ist.

E p h r a i m. Ich sah ihn nie, aber ich seh ihn!

J u d i t h. Ich auch, mit dem Antlitz, das ganz Auge
ist, gebietendes Auge, und mit dem Fuß, vor dem die
Erde, die er tritt, zurückzubeben scheint. Aber es gab
eine Zeit, wo er nicht war, darum kann eine kommen,
wo er nicht mehr sein wird!

E p h r a i m. Gib ihm den Donner und nimm ihm sein
Heer, und ich wag's, aber jetzt . . .

J u d i t h. Wolle nur! Und aus den Tiefen des Abgrunds herauf und von der Feste des Himmels herunter rufst du die heiligen, schützenden Kräfte, und
sie segnen und schirmen dein Werk, wenn nicht dich!
Denn du willst, was alles will; worüber die Gottheit
brütet in ihrem ersten Zorn, und worüber die Natur,
die vor der Riesengeburt ihres eigenen Schoßes zittert
und die den zweiten Mann nicht erschaffen wird, oder
nur darum, damit er den ersten vertilge, knirschend
sinnt in qualvollem Traum!

E p h r a i m. Nur weil du mich hassest, weil du mich
töten willst, forderst du das Undenkbare.

J u d i t h *(glühend).* Ich hab dir recht getan! Was? solch
ein Gedanke begeistert dich nicht? Er berauscht dich
nicht einmal? Ich, die du liebst, ich, die ich dich über
dich selbst erhöhen wollte, um dich wiederlieben zu
können, ich leg ihn dir in die Seele, und er ist dir
nichts als eine Last, die dich nur tiefer in den Staub
drückt? Sieh, wenn du ihn mit Jauchzen empfangen,
wenn du stürmisch nach einem Schwert gegriffen und
dir nicht einmal zum flüchtigen Lebewohl die Zeit ge-

nommen hättest, dann, oh, das fühl ich, dann hätt'
ich mich dir weinend in den Weg geworfen, ich hätte
dir die Gefahr ausgemalt mit der Angst eines Herzens, das für sein Geliebtestes zittert, ich hätte dich
zurückgehalten oder wäre dir gefolgt. Jetzt — ha! ich
bin mehr als gerechtfertigt; deine Liebe ist die Strafe
deiner armseligen Natur, sie ward dir zum Fluch, damit sie dich verzehre; ich würde mir zürnen, wenn ich
mich auch nur auf einer Regung des Mitleids mit dir
ertappte. Ich begreife dich ganz, ich begreife sogar,
daß das Höchste dir sein muß wie das Gemeinste, daß
du lächeln mußt, wenn ich bete!

Ephraim. Verachte mich! Aber erst zeig mir den,
der das Unmögliche möglich macht!

Judith. Ich werd ihn dir zeigen! Er wird kommen!
Er muß ja kommen! Und ist deine Feigheit die deines
ganzen Geschlechts, sehen alle Männer in der Gefahr
nichts als die Warnung, sie zu vermeiden — dann hat
ein Weib das Recht erlangt auf eine große Tat, dann
— ha, ich hab sie von dir gefordert, ich muß beweisen,
daß sie möglich ist!

DRITTER AUFZUG

Gemach der Judith.

Judith, in schlechten Kleidern, mit Asche bestreut, sitzt zusammengekauert da.

M i r z a *(tritt ein und betrachtet sie).* So sitzt sie nun schon drei Tage und drei Nächte. Sie ißt nicht, sie trinkt nicht, sie spricht nicht. Sie seufzt und wehklagt nicht einmal. „Das Haus brennt!" schrie ich ihr gestern abend zu und stellte mich, als hätt' ich den Kopf verloren. Sie veränderte keine Miene und blieb sitzen. Ich glaube, sie will, daß man sie in einen Sarg packen, den Deckel über sie nageln und sie forttragen soll. Sie hört alles, was ich hier rede, und doch sagt sie nichts dazu. Judith, soll ich den Totengräber bestellen?

(Judith winkt ihr mit der Hand, fortzugehen.)

Ich gehe, aber nur um gleich wiederzukommen. Ich vergesse den Feind und alle Not über dich. Wenn einer den Bogen auf mich anlegte, ich würd's nicht bemerken, solange ich dich dort lebendig-tot sitzen sehe. Erst hattest du so viel Mut, daß die Männer sich schämten, und nun — Ephraim hatte recht; er sagte: Sie fordert sich selbst heraus, um ihre Furcht zu vergessen. *(Ab.)*

J u d i t h *(stürzt auf die Knie).* Gott, Gott! Mir ist, als müßt' ich dich am Zipfel fassen wie einen, der mich auf ewig zu verlassen droht! Ich wollte nicht beten, aber ich muß beten, wie ich Odem schöpfen muß, wenn ich nicht ersticken soll! Gott, Gott! Warum neigst du dich nicht auf mich herab? Ich bin ja zu schwach, um zu dir emporzuklimmen! Sieh, hier lieg ich, wie außer der Welt und außer der Zeit; ich harre mit Angst eines Winkes von dir, der mich aufstehn und handeln heißt! Mit Frohlocken sah ich's, als die Gefahr uns nahetrat, denn mir war sie nichts als ein Zeichen, daß du dich unter deinen Auserwählten verherrlichen wollest. Mit schaudernder Wonne erkannt' ich, daß das, was mich erhob, alle andere zu

Boden warf, denn mir kam es vor, als ob dein Finger
gnadenvoll auf mich deutete, als ob dein Triumph von
mir ausgehen solle! Mit Entzücken sah ich's, daß
jener, dem ich das große Werk abtreten wollte, um
in Demut das höchste Opfer zu bringen, sich davor
feig und zitternd wie ein Wurm in dem Schlamm
seiner Armseligkeit verkroch. „Du bist's, du bist's!"
rief ich mir zu, und warf mich vor dir nieder und
schwur mir mit einem teuren Eid, niemals wieder auf-
zustehen, oder erst dann, wenn du mir den Weg ge-
zeigt, der zum Herzen des Holofernes führt. Ich
lauschte in mich selbst hinein, weil ich glaubte, ein
Blitz der Vernichtung müsse aus meiner Seele hervor-
springen; ich horchte in die Welt hinaus, weil ich
dachte: Ein Held hat dich überflüssig gemacht; aber
in mir und außer mir bleibt's dunkel. Nur *ein* Gedanke kam mir, nur einer, mit dem ich spielte und der
immer wiederkehrt; doch, der kam nicht von dir.
Oder kam er von dir? — *(Sie springt auf.)* Er kam
von dir! Der Weg zu meiner Tat geht durch die Sünde!
Dank, Dank dir, Herr! Du machst mein Auge hell.
Vor dir wird das Unreine rein; wenn du zwischen
mich und meine Tat eine Sünde stellst: Wer bin ich,
daß ich mit dir darüber hadern, daß ich mich dir ent-
ziehen sollte! Ist nicht meine Tat so viel wert als sie
mich kostet? Darf ich meine Ehre, meinen unbefleckten
Leib mehr lieben wie dich? Oh, es löst sich in mir
wie ein Knoten. Du machtest mich schön; jetzt weiß
ich, wozu. Du versagtest mir ein Kind; jetzt fühl ich,
warum, und freu mich, daß ich mein eigen Selbst nicht
doppelt zu lieben hab. Was ich sonst für Fluch hielt,
erscheint mir nun wie Segen! — *(Sie tritt vor einen
Spiegel.)* Sei mir gegrüßt, mein Bild! Schämt euch,
Wangen, daß ihr noch nicht glüht; ist der Weg zwischen euch und dem Herzen so weit? Augen, ich lob
euch, ihr habt Feuer getrunken und seid berauscht!
Armer Mund, dir nehm ich's nicht übel, daß du bleich
bist, du sollst das Entsetzen küssen. *(Sie tritt vom
Spiegel weg.)* Holofernes, dieses alles ist dein; ich
habe keinen Teil mehr daran; ich hab mich tief in

mein Innerstes zusammengezogen. Nimm's, aber zittre,
wenn du es hast; ich werde in einer Stunde, wo du's
nicht denkst, aus mir herausfahren wie ein Schwert
aus der Scheide und mich mit deinem Leben bezahlt
machen! Muß ich dich küssen, so will ich mir einbilden,
es geschieht mit vergifteten Lippen; wenn ich dich
umarme, will ich denken, daß ich dich erwürge. Gott,
laß ihn Greuel begehen unter meinen Augen, blutige
Greuel, aber schütze mich, daß ich nichts Gutes von
ihm sehe!

M i r z a *(kommt)*. Riefst du mich, Judith?

J u d i t h. Nein, ja. Mirza, du sollst mich schmücken.

M i r z a. Willst du nicht essen?

J u d i t h. Nein, ich will geschmückt sein.

M i r z a. Iß, Judith. Ich kann's nicht länger aushalten!

J u d i t h. Du?

M i r z a. Sieh, als du gar nicht essen und trinken wolltest, da schwur ich: Dann will ich auch nicht! Ich tat's,
um dich zu zwingen; wenn du nicht Mitleid mit dir
selbst hattest, so solltest du's mit mir haben. Ich sagte
es dir, aber du hast's wohl nicht gehört. Es sind nun
drei Tage.

J u d i t h. Ich wollt', ich wäre so viel Liebe wert.

M i r z a. Laß uns essen und trinken. Es wird bald zum
letztenmal sein, wenigstens das Trinken. Die Röhren
zum Brunnen sind abgehauen; auch zu den kleinen
Brunnen an der Mauer kann niemand mehr kommen,
denn sie werden von den Kriegsleuten bewacht. Doch
sind schon welche hinausgegangen, die sich lieber töten
lassen, als noch länger dursten wollten. Von einem sagt
man, daß er, schon durchstoßen, sterbend zum Brunnen kroch, um sich noch einmal zu letzen; aber eh' er
das Wasser, das er schon in der Hand hielt, an die
Lippen brachte, gab er den Geist auf. Keiner versah
sich dieser Grausamkeit vom Feind, darum ward der
Wassermangel in der Stadt gleich so allgemein. Wer
auch noch ein wenig hat, hält's geheim wie einen Schatz.

J u d i t h. Oh, greulich, statt des Lebens, das man nicht
nehmen kann, die Bedingung des Lebens zu nehmen!
Schlagt tot, sengt und brennt, aber raubt dem Men-

schen nicht mitten im Überfluß der Natur seine Not-
durft! Oh, ich habe schon zu lange gesäumt!

M i r z a. Mir hat Ephraim Wasser für dich gebracht.
Du magst die Größe seiner Liebe daran erkennen.
Seinem eignen Bruder hat er's versagt!

J u d i t h. Pfui! Dieser Mensch gehört zu denen, die
sogar dann sündigen, wenn sie etwas Gutes tun wollen!

M i r z a. Das gefiel mir auch nicht, aber dennoch bist
du zu hart gegen ihn.

J u d i t h. Nein, sag ich dir, nein! Jedes Weib hat ein
Recht, von jedem Manne zu verlangen, daß er ein
Held sei. Ist dir nicht, wenn du einen siehst, als sähst
du, was du sein möchtest, sein solltest? Ein Mann
mag dem andern seine Feigheit vergeben, nimmer ein
Weib. Verzeihst du's der Stütze, daß sie bricht? Kaum
kannst du verzeihen, daß du der Stütze bedarfst!

M i r z a. Konntest du's denn erwarten, daß Ephraim
deinem Befehl gehorchen werde?

J u d i t h. Von einem, der Hand an sich selbst gelegt,
der dadurch sein Leben herrenlos gemacht hatte,
durfte ich's erwarten. Ich schlug an ihn wie an einen
Kiesel, von dem ich nicht weiß, ob ich ihn behalten
oder wegwerfen soll; hätt' er einen Funken gegeben
— der Funke wäre in mein Herz hineingesprungen.
Jetzt tret ich den schnöden Stein mit Füßen!

M i r z a. Wie aber sollt' er's ausführen?

J u d i t h. Der Schütz, welcher frägt, wie er schießen
soll, wird nicht treffen. Ziel — Auge — Hand — da
ist's! *(Mit einem Blick gen Himmel.)* Oh, ich sah's über
der Welt schweben wie eine Taube, die ein Nest sucht
zum Brüten, und die erste Seele, die in der Erstarrung
erglühend aufging, mußte den Erlösungsgedanken
empfangen. Doch, Mirza, geh und iß, dann schmücke
mich!

M i r z a. Ich warte so lange, als du wartest!

J u d i t h. Du siehst mich so traurig an. Nun, ich geh
mit dir! Aber nachher nimm all deinen Witz zusam-
men und schmücke mich wie zur Hochzeit. Lächle
nicht! Meine Schönheit ist jetzt meine Pflicht! *(Geht
ab.)*

Öffentlicher Platz in Bethulien.

Viel Volk. Eine Gruppe junger Bürger, bewaffnet.

E i n   B ü r g e r *(zum andern).* Was sagst du, Ammon?

A m m o n. Ich frage dich, Hosea, was besser ist, der
Tod durchs Schwert, der so schnell kommt, daß er
dir gar nicht die Zeit läßt, ihn zu fürchten und zu
fühlen, oder dies langsame Verdorren, das uns be-
vorsteht?

H o s e a. Wenn ich dir antworten sollte, müßte mir der
Hals nicht so trocken sein. Man wird durstiger durchs
Sprechen.

A m m o n. Du hast recht.

B e n *(ein dritter Bürger).* Man kommt so weit, daß
man sich selbst wegen der paar Blutstropfen beneidet,
die einem noch in den Adern sickern. Ich möchte mich
anzapfen wie ein Faß. *(Steckt den Finger in den
Mund.)*

H o s e a. Das beste ist, daß man über den Durst den
Hunger vergißt.

A m m o n. Nun, zu essen haben wir noch.

H o s e a. Wie lange wird's dauern? Besonders wenn man
Leute wie dich unter uns duldet, die mehr Viktualien
im Magen als auf den Schultern tragen können.

A m m o n. Ich zehre vom Eigenen. Das geht keinen was
an.

H o s e a. In Kriegszeiten ist alles allgemein. Man sollte
dich und deinesgleichen dahin stellen, wo die meisten
Pfeile fallen. Man sollte überhaupt die Unmäßigen
immer vorausschieben; siegen sie, so braucht man nicht
ihnen, sondern den Ochsen und Mastkälbern zu danken, deren Mark in ihnen rumort; kommen sie um, so
ist auch das ein Vorteil. *(Ammon gibt ihm eine Ohrfeige).* Glaube nicht, daß ich wiedergebe, was ich emp-
fange. Aber das merk dir: Wenn du in Gefahr kommst,
so erwarte nicht von mir, daß ich dir beispringe. Ich
trag's dem Holofernes auf, mich zu rächen.

A m m o n. Undankbarer! Einen prügeln, heißt, ihm
einen Panzer aus seiner eigenen Haut schmieden. Die

Ohrfeige von heute macht dich unempfindlich gegen
die, welche dich morgen erwartet.

B e n. Ihr seid Narren. Zankt euch und vergeßt, daß ihr
gleich den Wall beziehen sollt.

A m m o n. Nein, wir sind kluge Leute, solange wir
miteinander hadern, denken wir nicht an unsre Not.

B e n. Kommt, kommt! wir müssen fort.

A m m o n. Ich weiß nicht, ob es nicht besser wäre, wenn
wir dem Holofernes öffneten. Den, der das täte, tötete er gewiß nicht!

B e n. So tötete ich ihn.

(Sie gehen ab. — Zwei ältere Bürger im Gespräch.)

D e r e i n e. Hast du wieder einen neuen Greuel vom
Holofernes gehört?

D e r a n d e r e. Freilich.

D e r e i n e. Wie treibst du's nur auf! Aber erzähl mir
doch!

D e r a n d e r e. Er steht und spricht mit einem seiner
Hauptleute. Allerlei Heimlichkeiten. Auf einmal bemerkt er in der Nähe einen Soldaten. „Hast du gehört", fragt er den, „was ich sprach?" Nein, antwortet
der Mensch. „Das ist ein Glück für dich", sagt der
Tyrann, „sonst ließe ich dir den Kopf herunterschla-
gen, weil Ohren daran sitzen!"

D e r e i n e. Man sollte glauben, man müßte leblos
niederfallen, wenn man so etwas vernimmt. Das ist
das Niederträchtigste an der Furcht, daß sie einen
nur halb tötet, nicht ganz.

D e r a n d e r e. Mir ist die Langmut Gottes unbegreif-
lich. Wenn er einen solchen Heiden nicht haßt, wen
soll er noch hassen?

(Sie gehen vorüber. — Samuel, ein uralter Greis, von
seinem Enkel geführt, tritt auf.)

E n k e l. Singet dem Herrn ein neues Lied, denn seine
Güte währet ewiglich!

S a m u e l. Ewiglich! *(Er setzt sich auf einen Stein.)*
Samuel dürstet. Enkel, warum gehst du nicht und
holst ihm einen frischen Trunk?

E n k e l. Ahn, der Feind steht vor der Stadt. Wieder
vergaß er's!

S a m u e l. Den Psalm! Lauter! Was stockst du!

E n k e l. Zeuge von dem Herrn, o Jüngling, denn du
 weißt nicht, ob du ein Greis wirst! Rühm ihn, o Greis,
 denn du wurdest nicht alt, um das zu verhehlen, was
 der Barmherzige an dir getan hat!

S a m u e l *(zornig)*. Hält der Brunnen nicht mehr so
 viel Wasser, als Samuel braucht, wenn er zum letztenmal trinken will? Kann der Enkel nicht schöpfen, ob
 der Mittag gleich heiß ist?

E n k e l *(sehr laut)*. Schwerter halten den Brunnen bewacht, Speere starren, die Heiden haben große Gewalt über Israel.

S a m u e l *(steht auf)*. Nicht über Israel! Wen suchte
 der Herr, als er Wellen und Winden Macht gab über
 das Schifflein, daß es hinauf und hinunter flog? Nicht
 den, der am Steuer saß, noch sonst einen anderen,
 den trotzigen Jonas allein, der ruhig schlief. Vom
 sichern Schiff trieb er ihn in die tobende Meerflut hinein, aus der Meerflut in des Leviathans Rachen, aus
 dem Rachen des Untiers durch die Klippen der Zähne
 in den finstern Bauch. Aber als Jonas nun Buße tat,
 war der Herr da nicht stark genug, ihn noch aus dem
 Bauch des Leviathans wieder zu erretten? Stehet auf,
 ihr heimlichen Missetäter, die ihr in euch selber schlaft,
 wie Jonas schlief, wartet nicht, bis man das Los über
 euch wirft, tretet hervor und sprecht: Wir sind's, damit nicht der Unschuldige vertilgt werde mit dem
 Schuldigen! *(Er faßt seinen Bart.)* Samuel schlug den
 Aaron, spitz war der Nagel, weich war das Hirn, tief
 war Aarons Schlummer in seines Weibes Schoß. Samuel
 nahm des Aarons Weib und zeugte den Ham mit ihr,
 aber sie starb vor Entsetzen, als sie das Kind erblickte,
 denn des Kindes Haupt trug das Zeichen des Nagels,
 wie des Toten Haupt, und Samuel ging in sich und
 kehrte sein Angesicht gegen sich selbst.

E n k e l. Ahn! Ahn! Du selbst bist Samuel, und ich bin
 der Sohn des Ham!

S a m u e l. Samuel schor sich das Haupt und stellte sich
 vor seine Tür und harrte der Rache, wie man des
 Glückes harrt, siebzig Jahre und länger, bis er seine

Tage nicht mehr zu zählen vermochte. Aber die Pest
ging vorüber, und ihr Atem traf ihn nicht, und das
Elend ging vorüber und kehrte nicht bei ihm ein,
und der Tod ging vorüber und rührte ihn nicht an.
Die Rache kam nicht von selbst, und er hatte nicht
den Mut, sie zu rufen.

E n k e l. Komm, komm! *(Er führt ihn auf die Seite.)*

S a m u e l. Aarons Sohn, wo bist du, oder seines Sohnes
Sohn, oder sein Bruder, daß Samuel den Stoß eurer
Hand nicht fühlt, noch den Tritt eurer Füße? Auge
um Auge, sprach der Herr, Zahn um Zahn, Blut um
Blut!

E n k e l. Aarons Sohn ist tot und seines Sohnes Sohn,
und sein Bruder, der ganze Stamm.

S a m u e l. Blieb kein Rächer? Sind dies die letzten Zeiten, daß der Herr die Sünde aufgeschossen stehen
läßt und die Sicheln zerbricht? Wehe! Wehe!
     (Der Enkel führt ihn ab. — Zwei Bürger.)

E r s t e r. Wie ich dir sage, nicht allenthalben fehlt's
an Wasser. Es gibt Leute unter uns, die sich nicht
allein vollsaufen, sondern die sich sogar täglich meh-
rere Male waschen.

Z w e i t e r. Oh, ich glaub's. Ich will dir doch etwas
vertrauen. Mein Nachbar Assaph hatte eine Ziege,
die in seinem Gärtlein lustig weidete. Ich sehe gerade
ins Gärtlein hinab, und mir wurde jedesmal zumute
wie einer schwangeren Frau, wenn ich das Tier mit
seinen vollen Eutern erblickte. Gestern ging ich zu
Assaph und bat ihn um ein wenig Milch. Als er mir's
abschlug, griff ich zum Bogen, tötete die Ziege mit
einem raschen Schuß und schickte ihm, was sie wert
ist! Ich tat recht, denn die Ziege verleitete ihn zur
Hartherzigkeit gegen seinen Nächsten.

E r s t e r. Von dir konnte man den Streich erwarten!
Du hast ja schon als ganz kleines Kind eine Jungfrau
zur Mutter gemacht!

Z w e i t e r. Was!

E r s t e r. Ja! ja! Bist du nicht der Erstgeborene?
     (Gehen vorüber. — Einer der Ältesten tritt auf.)

D e r   Ä l t e s t e. Hört, hört, ihr Männer von Bethu-

lien! *(Das Volk versammelt sich um ihn.)* Hört, was
euch durch meinen Mund der fromme Hohepriester
Jojakim zu wissen tut!

A s s a d *(ein Bürger; seinen Bruder Daniel, der stumm
und blind ist, an der Hand).* Gebt acht, der Hohepriester will, daß wir Löwen sein sollen. Dann kann
er um so besser Hase sein.

E i n a n d e r e r. Lästere nicht!

A s s a d. Ich lasse keine Trostgründe gelten, als die ich
aus dem Brunnen schöpfen kann.

D e r Ä l t e s t e. Ihr sollt gedenken an Moses, den
Diener des Herrn, der nicht mit dem Schwert, sondern mit Gebet den Amalek schlug. Ihr sollt nicht
zittern vor Schild und Speer, denn ein Wort der
Heiligen macht sie zuschanden.

A s s a d. Wo ist Moses? Wo sind Heilige?

D e r Ä l t e s t e. Ihr sollt Mut fassen und gedenken,
daß das Heiligtum des Herrn in Gefahr ist.

A s s a d. Ich meinte, der Herr wolle uns schützen. Nun
läuft's darauf hinaus, daß wir ihn schützen sollen!

D e r Ä l t e s t e. Und vor allem sollt ihr nicht vergessen, daß der Herr, wenn er euch umkommen läßt,
euch euren Tod und eure Marter in Kindern und
Kindeskindern bis zum zehnten Glied hinab vergüten
kann!

A s s a d. Wer sagt mir, wie meine Kinder und Kindes-
kinder ausschlagen? Können's nicht Bursche sein, deren ich mich schämen muß, die mir zum Spott herum-
laufen! *(Zum Ältesten.)* Mann, deine Lippe zittert,
dein Auge irrt unstet, deine Zähne möchten die klin-
genden Worte zerreißen, hinter denen sich deine
Angst versteckt. Wie kannst du den Mut von uns
verlangen, den du selbst nicht hast? Ich will einmal
im Namen dieser aller zu dir reden. Gib Befehl, daß
die Tore der Stadt geöffnet werden. Unterwürfigkeit
findet Barmherzigkeit! Ich sag's nicht meinetwegen,
ich sag's dieses armen Stummen wegen, ich sag's wegen
der Weiber und Kinder. *(Umstehende geben Zeichen
des Beifalls.)* Gib Befehl, augenblicklichen, oder wir
tun's ohne deinen Befehl.

D a n i e l *(reißt sich von ihm los).* Steiniget ihn! Steiniget ihn!

V o l k. War dieser Mann nicht stumm?

A s s a d *(seinen Bruder mit Entsetzen betrachtend).* Stumm und blind. Er ist mein Bruder. Dreißig Jahre ist er alt und sprach nie ein Wort.

D a n i e l. Ja, das ist mein Bruder! Er hat mich erquickt mit Speis und Trank. Er hat mich gekleidet und ließ mich bei sich wohnen! Er hat mich gepflegt bei Tag und bei Nacht. Gib mir die Hand, du treuer Bruder. *(Als er sie faßt, schleudert er sie, wie von Entsetzen gepackt, von sich.)* Steiniget ihn, steiniget ihn, steiniget ihn!

A s s a d. Wehe! Wehe! Der Geist des Herrn spricht aus des Stummen Mund! Steiniget mich!

(Das Volk verfolgt ihn, ihn steinigend.)

S a m a j a *(ihnen bestürzt nacheilend).* Was wollt ihr? *(Ab.)*

D a n i e l *(begeistert).* Ich komme, ich komme, spricht der Herr, aber ihr sollt nicht fragen woher? Meint ihr, es sei Zeit? Ich allein weiß, wann es Zeit ist!

V o l k. Ein Prophet, ein Prophet!

D a n i e l. Ich ließ euch wachsen und gedeihen, wie das Korn zur Sommerzeit! Meinet ihr, daß ich den Heiden meine Ernte überlassen werde? Wahrlich, ich sage euch, das wird nimmermehr geschehen!

(Judith mit Mirza erscheint unter dem Volk.)

V o l k *(wirft sich zu Boden).* Heil uns!

D a n i e l. Und ob euer Feind noch so groß ist, so brauche ich doch nur ein kleines, um ihn zu vernichten! Heiliget euch! heiliget euch! denn ich will wohnen bei euch und will euch nicht verlassen, wenn ihr mich nicht verlaßt! — *(Nach einer Pause.)* Bruder, deine Hand!

S a m a j a *(zurückkehrend).* Tot ist dein Bruder! Du hast ihn getötet! Das war dein Dank für all seine Liebe! Oh, wie gern hätt' ich ihn gerettet! Wir waren ja Freunde von Jugend auf! Was aber konnt' ich ausrichten gegen so viele, die deine Torheit verrückt gemacht hatte. „Nimm dich Daniels an!" rief er mir

zu, als mich sein brechendes Auge erkannte. Ich leg
dir dies Wort als ein glühendes Vermächtnis in die
Seele!

(Daniel will sprechen und kann's nicht; er wimmert.
Samaja zum Volk.)

Schämet euch, daß ihr auf den Knien liegt, schämet
euch noch mehr, daß ihr einen edlen Mann, der es mit
euch allen wohl meinte, gemordet habt! Ha, ihr ver-
folgtet ihn so wütend, als könntet ihr in ihm eure
eigenen Sünden zu Tode steinigen! Alles, was er hier
gegen den Ältesten, nicht aus Feigheit, sondern aus
Mitleid mit eurem Elend vorbrachte, war zwischen
uns heute morgen verabredet; dieser Stumme saß dabei zusammengekauert und teilnahmslos wie immer;
er verriet seinen Abscheu mit keiner Miene. — *(Zum*
Ältesten.) Alles, was mein Freund verlangte, verlang
ich noch: schleuniges Öffnen der Tore, Unterwerfung
auf Gnad' und Ungnade. — *(Zu Daniel.)* Nun zeige,
daß der Herr aus dir sprach. Fluche mir, wie du dem
Bruder fluchtest!

(Daniel, in höchster Angst, will reden und kann nicht.)
Sehet ihr den Propheten? Ein Dämon des Abgrunds,
der euch verlocken wollte, entsiegelte seinen Mund,
aber Gott verschloß ihn wieder, und verschloß ihn auf
ewig. Oder könnt ihr glauben, daß der Herr die
Stummen reden macht, damit sie Brudermörder werden?   *(Daniel schlägt sich.)*

Judith *(tritt in die Mitte des Volkes).* Lasset euch
nicht versuchen. Hat es euch nicht gepackt wie Gottes-
nähe und euch in heiliger Vernichtung zu Boden geworfen? Wollt ihr es jetzt dulden, daß man euer tief-
stes Gefühl der Lüge zeiht?

Samaja. Weib, was willst du? Siehst du nicht, daß
dieser verzweifelt? Ahnst du nicht, daß er verzweifeln muß, wenn er ein Mensch ist? *(Zu Daniel.)*
Reiß dir die Haare aus, zerstoß dir den Kopf an der
Mauer, daß die Hunde dein Gehirn lecken; das ist
das einzige, was du noch auf dieser Welt zu tun hast!
Was gegen die Natur ist, das ist gegen Gott!

Stimmen im Volk. Er hat recht!

J u d i t h *(zu Samaja)*. Willst du dem Herrn den Weg
vorschreiben, den er wandeln soll? Reinigt er nicht
jeden Weg dadurch, daß er ihn wandelt?

S a m a j a. Was gegen die Natur ist, das ist gegen Gott!
Der Herr tat Wunder unter den Vätern; die Väter
waren besser wie wir. Wenn er jetzt Wunder tun
wollte, warum läßt er nicht regnen? Und warum
tut er nicht ein Wunder im Herzen des Holofernes
und bewegt ihn zum Abzug?

E i n B ü r g e r *(dringt auf Daniel ein)*. Stirb, Sünder,
der du uns verleitet hast, uns mit dem Blute eines
Gerechten zu beflecken!

S a m a j a *(tritt zwischen ihn und Daniel)*. Niemand
darf den Kain töten! So sprach der Herr. Aber Kain
darf sich selbst töten! So spricht in mir eine Stimme!
Und Kain wird's tun! Dies sei euch ein Zeichen: Lebt
dieser Mensch noch bis morgen, kann er seine Tat
einen ganzen Tag und eine ganze Nacht tragen, so
tut nach seinen Worten und harret, bis ihr tot hinsinkt
oder bis euch ein Wunder erlöst. Wo nicht, so tut,
was Assad euch sagte: Öffnet die Tore und ergebt
euch. Und wenn ihr im Druck eurer Sünden nicht zu
hoffen wagt, daß der Herr das Herz des Holofernes
rühren wird, so legt Hand an euch selbst; tötet euch
untereinander und laßt nur die Kinder am Leben;
die werden die Assyrier verschonen, denn sie haben
selbst Kinder oder wünschen Kinder zu haben. Macht
ein großes Morden daraus, wo der Sohn den Vater
niedersticht und wo der Freund dem Freunde dadurch
seine Liebe beweist, daß er ihm die Gurgel abschnei-
det, ohne sich erst bitten zu lassen. *(Faßt den Daniel
bei der Hand.)* Den Stummen nehm ich in mein Haus.
(Für sich.) Wahrlich, die Stadt, die sein Bruder retten
wollte, soll nicht durch seine Raserei zugrunde gehen!
Ich will ihn in eine Kammer einschließen, ich will ihm
ein blankes Messer in die Hand drücken, ich will ihm
in die Seele reden, bis er vollbringt, was ich im Namen
der Natur und als ihr Prophet voraus verkündigt
habe. Gottlob, daß er nur stumm und blind ist, daß
er nicht auch taub ist. *(Er geht mit Daniel ab.)*

V o l k *(durcheinander).* Warum gehen uns die Augen
so spät auf! Wir wollen nicht länger warten. Keine
Stunde! Wir wollen die Tore öffnen. Kommt!

J o s u a *(ein Bürger).* Wer war schuld, daß wir uns
nicht demütigten wie die übrigen Völker? Wer ver-
führte uns, daß wir die schon gebeugten Nacken trot-
zig emporhoben? Wer hieß uns in die Wolken blicken
und die Erde darüber vergessen?

V o l k. Wer anders als Priester und Älteste?

J u d i t h *(für sich).* O Gott, jetzt hadern die Unseligen
mit denen, die sie aus nichts zu etwas machten! —
(Laut.) Seht ihr im Unglück, das euch trifft, nur eine
Aufforderung, es euch durch Gemeinheit zu verdienen?

J o s u a *(geht unter den Bürgern herum).* Als ich vom
Zug des Holofernes hörte, da war mein erster Gedanke, daß wir ihm entgegengehen und seine Gnade
erflehen sollten. Wer unter euch dachte anders? *(Alle
schweigen.)* Warum kam Holofernes? Nur, um uns zu
unterwerfen; hätte er die Unterwerfung auf der
Hälfte des Weges angetroffen, er hätte den ganzen
nicht gemacht und wäre umgekehrt, denn er hat genug zu tun. Dann säßen wir jetzt in Frieden und lab-
ten uns an Speis und Trank; nun ist unser kümmer-
liches Leben nichts als eine Anweisung auf alle Martern, die möglich sind.

V o l k. Wehe! Wehe!

J o s u a. Und wir sind unschuldig, wir haben nie getrotzt, wir haben immer gezittert. Aber Holofernes
war noch fern, und Älteste und Priester waren nah
und bedrohten uns! Da vergaßen wir die eine Furcht
über die andere. Wißt ihr was? Wir wollen Älteste
und Priester aus der Stadt hinaustreiben und zum
Holofernes sagen: Da sind die Empörer. Mag er sich
ihrer erbarmen, so ist's gut; wo nicht, so wollen wir
doch lieber um *sie* klagen als um uns selbst!

V o l k. Wird das uns retten?

J u d i t h. Das ist, als ob einer mit dem Schwert, womit
er sich nicht zu verteidigen vermag, den Waffen-
schmied, der es ihm gab, ermorden wollte.

V o l k. Hilft es wohl?

J o s u a. Wie sollt' es nicht? Kopf ab, heißt's, nicht Fuß
ab oder Hand ab.
V o l k. Du hast recht! Das ist der Weg!
J o s u a *(zu dem Ältesten, der den Auftritt ernst ange-
sehen hat).* Was sagst du dazu?
D e r Ä l t e s t e. Ich würde selbst dazu raten, wenn's
helfen könnte. Ich bin heute gerade dreiundsiebzig
Jahr' alt geworden und möchte wohl zu den Vätern
eingehen; auf ein paar Atemzüge mehr oder weniger
kommt's nicht an. Zwar glaube ich ein ehrliches Grab
verdient zu haben und möchte lieber in der Erde als
im Magen eines wilden Tieres ruhen; doch wenn ihr
meint, daß ich für euch alle genug tun kann, so bin
ich bereit. Ich schenk euch diesen grauen Kopf, macht
aber schnell, damit der Tod euch nicht zuvorkomme
und das Geschenk hohnlachend in eine Grube hin-
einwerfe. Nur einmal erlaubt mir noch, diesen Kopf,
der nun euch gehört, zu brauchen. Nicht von mir allein,
von allen Ältesten und Priestern ist die Rede. Wollt
ihr euch, bevor ihr zu opfern beginnt, nicht die Mühe
nehmen, die Opfer zu zählen?
J u d i t h *(wild).* Das hört ihr an und schlagt nicht an
eure Brust und werft euch nicht nieder und küßt dem
Greis die Füße? Bei der Hand fassen möcht' ich jetzt
den Holofernes und ihn hereinführen und ihm selbst
das Schwert schleifen, wenn es stumpf würde, ehe es
jeden dieser Köpfe abgemäht hätte!
J o s u a. Der Älteste sprach klug, sehr klug. Widersetzen
konnt' er sich nicht, das sah er, da gab er sich denn
drein und auf eine Weise — ich wette, wenn die Läm-
mer sprechen könnten, es würde kein einziges ge-
schlachtet. *(Zu Judith.)* Gewiß hat er dich nicht allein
gerührt.
J u d i t h. Widersetzen konnt' er sich nicht, aber er
konnte euren schlechten Plan doch zuschanden machen, er konnte sich töten! Und er griff krampfhaft
nach dem Schwert, ich bemerkt' es wohl und trat ihm
näher, um ihn zu hindern; aber gleich brach's wie
innerer Sieg aus seinem Angesicht hervor, er zog die
Hand wie beschämt zurück und blickte nach oben.

D e r Ä l t e s t e. Du denkst zu edel von mir. Nicht mir selbst galt das, es galt dem da!

V o l k. Dein Rat ist schlecht, Josua, wir wollen dir nicht folgen!

J u d i t h. Habt Dank!

J o s u a. Aber darauf, daß die Tore geöffnet werden, besteht ihr doch? Bedenkt, daß ein Feind, dem ihr öffnet, nie so grausam sein kann wie einer, der sich selbst öffnen muß. — *(Zum Ältesten.)* Gib Befehl! Wegen meines Vorschlags will ich dich um Verzeihung bitten, das heißt morgen, wenn ich dann noch lebe.

J u d i t h *(zum Ältesten).* Sag nein!

D e r Ä l t e s t e. Ich sage ja, denn ich sehe selbst nicht, woher uns Hilfe kommen soll.

A c h i o r *(tritt unter das Volk).* Öffnet, nur erwartet keine Gnade von Holofernes. Er hat geschworen, das Volk, welches sich ihm zuletzt unterwerfen würde, von der Erde zu vertilgen, daß auch seine Spur nicht bleibe. Ihr seid die letzten.

J u d i t h. Das hat er geschworen?

A c h i o r. Ich stand dabei. Und ob er seinen Schwur halten wird, mögt ihr daran erkennen: Er ergrimmte über mich, als ich von der Macht eures Gottes sprach, und sein Zorn ist Tod. Aber statt mich niederzuhauen, befahl er, wie ihr wißt, daß ich zu euch geführt werde. Ihr seht, so wenig zweifelt er an eurem Untergang, daß er den Mann, den er haßt und dessen Kopf er mit Gold aufwiegen will, aus der Hand gibt, weil er sich an ihm erst dann rächen mag, wenn er sich zugleich an euch rächen kann. Und so fern ist ihm jeder Gedanke an Gnade, daß er für seinen Feind keine härtere Strafe auszusinnen weiß, als diejenige ist, die er euch zugedacht hat!

V o l k. Es soll nicht geöffnet werden. Wenn wir durchs Schwert umkommen wollen, so haben wir ja selbst Schwerter!

J o s u a. Lasset uns eine Zeit bestimmen. Alles muß ein Ende haben.

V o l k. Eine Zeit! eine Zeit!

D e r Ä l t e s t e. Lieben Brüder, so habt noch fünf Tage
Geduld und harrt der Hülfe des Herrn!

J u d i t h. Und wenn der Herr nun noch fünf Tage länger braucht?

D e r Ä l t e s t e. Dann sind wir tot! Will der Herr uns
helfen, so muß es in diesen fünf Tagen geschehen;
wir werden ohnehin ihr Ende nicht alle erleben!

J u d i t h *(feierlich, als ob sie ein Todesurteil spräche).*
Also in fünf Tagen muß er sterben!

D e r Ä l t e s t e. Wir müssen das Äußerste tun, um uns
nur noch so lange zu halten. Wir müssen das Opfer
des Herrn, den heiligen Wein und das Öl, unter uns
verteilen! Wehe mir, daß ich einen solchen Rat geben
muß!

J u d i t h. Ja, wehe dir! Warum rätst du nicht lieber ein
anderes Äußerstes? — *(Zum Volk.)* Ihr Männer von
Bethulien, wagt einen Ausfall! Die kleinen Brunnen
liegen dicht an der Mauer; teilt euch in zwei Hälften;
die eine muß den Rückzug und das Tor decken, während die andere in Masse anstürmt; es kann gar nicht
fehlen, ihr bringt Wasser herein!

D e r Ä l t e s t e. Du siehst, keiner antwortet.

J u d i t h *(zum Volk).* Wie soll ich das verstehen! *(Nach
einer Pause.)* Doch es freut mich. Wenn ihr nicht das
Herz habt, es mit ein paar hundert Soldaten aufzu-
nehmen, so werdet ihr noch weniger so vermessen
sein, die Rache des Herrn herauszufordern und eure
Hand frevelnd nach der Speise des Altars auszustrek-
ken!

D e r Ä l t e s t e. Dies ist nötig, und hundertfältig soll
es ersetzt werden. Das andere ist zu bedenklich; ein
offenes Tor wäre die Todeswunde der Stadt. Auch
David aß die heiligen Brote, und er aß sich nicht den
Tod.

J u d i t h. David war ein Geweihter des Herrn. Wollt
ihr essen wie David, so werdet zuvor wie David.
Esset und trinket, aber heiliget euch erst!

E i n e r i m V o l k. Warum hören wir auf die!

E i n a n d e r e r. Schäme sich, wer es nicht tut. Ist sie
nicht wie ein Engel?

Ein dritter. Sie ist das gottesfürchtigste Weib in
  der Stadt! Solange es uns wohl ging, saß sie still in
  ihrem Kämmerlein; hat jemand sie öffentlich gesehen,
  außer, wenn sie beten oder opfern wollte? Aber nun,
  da wir verzweifeln wollen, verläßt sie ihr Haus und
  wandelt mit uns und spricht uns Trost ein!

Der vorige. Sie ist reich und hat viele Güter. Aber
  wißt ihr, was sie einmal sagte? „Ich verwalte diese
  Güter nur, sie gehören den Armen." Und sie sagt's
  nicht bloß, sie tut's. Ich glaube, sie nimmt nur darum
  keinen Mann wieder, weil sie dann aufhören müßte,
  die Mutter der Bedürftigen zu sein! Wenn der Herr
  uns hilft, so geschieht's ihretwegen!

Judith *(zu Achior)*. Du kennst den Holofernes. Sprich
  mir von ihm.

Achior. Ich weiß, daß er nach meinem Blut dürstet,
  aber glaube nicht, daß ich ihn schmähe! Wenn er mit
  dem erhobenen Schwerte vor mir stände und mir zu-
  riefe: Töte mich, sonst töt ich dich — ich weiß nicht,
  was ich täte!

Judith. Das ist dein Gefühl. Er hatte dich in seiner
  Gewalt und ließ dich frei!

Achior. Oh, es ist nicht das! Das könnte mich eher
  empören. Das Blut steigt mir in die Wangen, wenn
  ich bedenke, wie gering er einen Mann achten muß,
  den er selbst, die Waffen in der Hand, zu seinem
  Feind hinüberschickt.

Judith. Er ist ein Tyrann!

Achior. Ja, aber er wurde geboren, es zu sein. Man
  hält sich und die Welt für nichts, wenn man bei ihm
  ist. Einmal ritt ich mit ihm im wildesten Gebirg. Wir
  kommen an eine Kluft, breit, schwindlich, tief. Er
  sporn sein Pferd, ich greif ihm in die Zügel, deute
  auf die Tiefe und sage: Sie ist unergründlich! „Ich
  will ja auch nicht hinein, ich will hinüber!" ruft er
  und wagt den grausigen Sprung. Ehe ich noch folgen
  kann, hat er kehrtgemacht und ist wieder bei mir. „Ich
  meinte dort eine Quelle zu sehen", sagt er, „und
  wollte trinken, aber es ist nichts. Verschlafen wir den
  Durst." Und wirft mir die Zügel zu und springt herab

vom Pferd und schläft ein. Ich konnte mich nicht halten, ich stieg gleichfalls ab und berührte sein Kleid mit meinen Lippen und stellte mich gegen die Sonne, damit er Schatten habe. Pfui über mich! Ich bin so sehr sein Sklave, daß ich ihn lobe, wenn ich von ihm spreche.

J u d i t h. Er liebt die Weiber?

A c h i o r. Ja, aber nicht anders als Essen und Trinken.

J u d i t h. Fluch ihm!

A c h i o r. Was willst du? Ich hab eine meines Volks gekannt, die verrückt ward, weil er sie verschmähte. Sie schlich sich in sein Schlafgemach und trat plötzlich, als er sich eben ins Bett gelegt hatte, mit gezücktem Dolch drohend vor ihn hin.

J u d i t h. Was tat er?

A c h i o r. Er lachte, und lachte so lange, bis sie sich selbst durchstach!

J u d i t h. Hab Dank, Holofernes! Nur an diese brauch ich zu denken, und ich werde Mut haben wie ein Mann!

A c h i o r. Was ist dir?

J u d i t h. Oh, steigt vor mir empor aus euern Gräbern, ihr, die er morden ließ, daß ich in eure Wunden schaue; tretet vor mich hin, ihr, die er geschändet hat, und schlagt die auf ewig zugefallenen Augen noch einmal wieder auf, daß ich drin lese, wieviel er euch schuldig ward! Ihr alle sollt bezahlt werden! Doch warum denk ich eurer, warum nicht der Jünglinge, die sein Schwert noch fressen, der Jungfrauen, die er in seinen Armen noch zerdrücken kann! Ich will die Toten rächen und die Lebendigen beschirmen. — *(Zu Achior.)* Ich bin doch für ein Opfer schön genug?

A c h i o r. Niemand sah deinesgleichen.

J u d i t h *(zu dem Ältesten)*. Ich hab ein Geschäft bei dem Holofernes. Wollt Ihr mir das Tor öffnen lassen?

D e r Ä l t e s t e. Was hast du vor?

J u d i t h. Niemand darf es wissen als der Herr unser Gott!

D e r Ä l t e s t e. So sei er mit dir! Das Tor steht dir offen.

E p h r a i m. Judith! Judith! Nimmer vollbringst du's!

J u d i t h *(zu Mirza)*. Hast du den Mut, mich zu begleiten?

M i r z a. Ich hätte noch weniger den Mut, dich allein ziehen zu lassen.

J u d i t h. Und du tatest, was ich dir befahl?

M i r z a. Wein und Brot ist hier. Es ist nur wenig!

J u d i t h. Es ist zuviel.

E p h r a i m *(für sich)*. Hätt' ich das geahnt, so hätt' ich nach ihren Worten getan! Grausam werd ich gestraft!

J u d i t h *(geht ein paar Schritte, dann wendet sie sich noch einmal zum Volk)*. Betet für mich, wie für eine Sterbende! Lehrt die kleinen Kinder meinen Namen und lasset sie für mich beten.

(Sie geht auf das Tor zu, es wird geöffnet, sowie sie heraus ist, fallen alle, außer Ephraim, auf die Knie.)

E p h r a i m. Ich will nicht beten, daß Gott sie schützen soll. Ich will sie selbst schützen! Sie geht in des Löwen Höhle — ich glaube, sie tut's nur, weil sie erwartet, daß alle Männer ihr folgen werden. Ich folge; wenn ich sterbe, so sterb ich ja nur etwas früher als alle die andern. Vielleicht kehrt sie um! *(Ab.)*

D e l i a *(tritt in größter Bewegung unter das Volk)*. Wehe! Wehe!

E i n e r d e r Ä l t e s t e n. Was hast du?

D e l i a. Der Stumme! Der furchtbare Stumme! Er hat meinen Mann erwürgt!

E i n e r a u s d e m V o l k e. Das ist des Samaja Weib!

D e r v o r i g e Ä l t e s t e *(zu Delia)*. Wie konnte das geschehen?

D e l i a. Samaja kam mit dem Stummen zu Hause. Er ging mit ihm in die hintere Kammer und riegelte hinter sich zu. Ich hörte Samaja laut reden und den Stummen ächzen und schluchzen. „Was ist's?" denk ich und schleiche mich an die Kammertür und lausche hinein durch einen Spalt. Der Stumme sitzt und hält ein scharfes Messer in der Hand, Samaja steht neben ihm und macht ihm schwere Vorwürfe. Der Stumme kehrt das Messer gegen seine Brust, ich stoß einen Schrei aus und entsetze mich, da ich sehe, daß Samaja

ihn nicht in seiner Raserei zu hindern sucht. Aber
auf einmal wirft der Stumme sein Messer weg und
fällt über Samaja her; er reißt ihn, wie mit über-
menschlicher Gewalt, zu Boden und packt ihn bei der
Kehle. Samaja kann sich seiner nicht erwehren, er
ringt mit ihm; ich rufe um Hülfe. Nachbarn kommen
herbei, die Tür, die von innen verriegelt ist, wird ein-
gerannt. Zu spät. Der Stumme hat Samaja schon erwürgt; wie ein Tier wütet er noch gegen den Toten,
und lacht, da er uns eintreten hört. Als er mich an der
Stimme erkennt, wird er still und rutscht auf den
Knien zu mir heran; „Mörder!" ruf ich; da weist er
mit dem Finger gen Himmel, dann sucht er das Messer am Boden, hebt es auf, reicht es mir und deutet
auf seine Brust, als ob er wolle, daß ich ihn durchstoßen solle.

Ein Priester. Daniel ist ein Prophet. Der Herr hat
den Stummen reden lassen; er hat ein Wunder getan,
damit ihr an die Wunder, die er noch tun will, glauben könnt! Samaja ist zuschanden worden mit seiner
Prophezeiung. An Daniel hat er gefrevelt, durch
Daniels Hand hat er seinen Lohn empfangen.

Stimmen im Volk. Hin zu Daniel, damit ihm
kein Leid geschehe!

Der Priester. Der Herr hat ihn gesandt, der Herr
wird ihn schützen. Gehet hin und betet.

(Das Volk zerstreut sich nach verschiedenen Seiten.)

Delia. Weiter haben sie keinen Trost für mich, als
daß sie sagen: Er, den ich liebte, sei ein Sünder gewesen. *(Sie geht ab.)*

VIERTER AUFZUG

Zelt des Holofernes.

Holofernes und zwei seiner Hauptleute.

Einer der Hauptleute. Der Feldhauptmann sieht aus wie ein Feuer, das ausgehen will.

Der zweite. Vor solch einem Feuer muß man sich in acht nehmen. Es verschlingt alles, was ihm nahekommt, um sich zu ernähren.

Der erste. Weißt du, daß Holofernes in der letzten Nacht nahe daran war, sich selbst zu töten?

Der zweite. Das ist nicht wahr!

Der erste. Doch! Ihn drückt der Alp, und er glaubt im Schlafe, daß sich jemand auf ihn wirft und ihn würgen will. Er greift, in seinen Traum verstrickt, nach dem Dolch und meint den Feind hinterrücks zu durchbohren und stößt ihn in die eigne Brust. Glücklicherweise gleitet das Eisen an den Rippen ab. Er erwacht und sieht's und ruft, als der Kämmerer ihn verbinden will, lachend aus: Laß laufen, mich kühlt's, ich hab des Blutes zuviel!

Der zweite. Es klingt fabelhaft.

Der erste. Frag den Kämmerer!

Holofernes *(wendet sich rasch).* Fragt mich selbst! *(Sie erschrecken.)* Ich ruf's euch zu, weil ich euch gern hab und nicht mag, daß zwei Helden, die ich brauchen kann, sich aus Langeweile durch allerlei schnöde Betrachtungen und Vergleiche um den Hals reden. *(Für sich.)* Sie wundern sich, daß ich ihr Gespräch hörte; Schande genug für mich, daß ich Zeit und Aufmerksamkeit dafür hatte! Ein Kopf, der sich nicht selbst mit Gedanken auszufüllen weiß, der für die Grillen und Einfälle andrer Platz übrig hat, ist nicht wert, daß man ihn füttert; die Ohren sind Almosensammler des Geistes, nur Bettler und Sklaven bedürfen ihrer, und man wird eines von beiden, wenn man sie braucht. *(Zu den Hauptleuten.)* Ich hadere nicht mit euch; es ist meine Schuld, daß ihr nichts zu tun habt und daß

ihr Worte machen müßt, um euch vorlügen zu können: Ihr lebt. Was gestern Speise war, ist heute Kot;
weh uns, daß wir darin wühlen müssen. Aber sagt mir
doch, was hättet ihr getan, wenn ihr mich nun wirklich heute morgen tot im Bett gefunden?

Die Hauptleute. Herr, was hätten wir tun sollen?

Holofernes. Wenn ich's auch wüßte, so würd' ich's
nicht sagen. Wer sich aus der Welt wegdenken und
seinen Ersatzmann nennen kann, der gehört nicht
mehr hinein. Ich dank's doch meinen Rippen, daß sie
von Eisen sind. Das wär' ein Tod gewesen wie eine
Posse! Und gewiß hätte dieser Irrtum meiner Hand
irgendeinen magern Gott, zum Beispiel den der Ebräer,
fett gemacht. Wie würde Achior sich mit seiner Vor-
herverkündigung gebrüstet und Respekt vor sich selbst
bekommen haben! — Eins möcht ich wissen: Was ist
der Tod?

Einer der Hauptleute. Ein Ding, um dessent-
willen wir das Leben lieben!

Holofernes. Das ist die beste Antwort. Jawohl,
nur weil wir es stündlich verlieren können, halten
wir's fest und pressen's aus und saugen's ein bis zum
Zerplatzen. Ging's ewig so fort wie gestern und heut',
so würden wir in seinem Gegenteil seinen Wert und
Zweck sehen; wir würden ruhen und schlafen und in
unsern Träumen vor nichts zittern wie vor dem Er-
wachen. Jetzt suchen wir uns durchs Essen gegen das
Gegessenwerden zu schützen und kämpfen mit unsern
Zähnen gegen die Zähne der Welt. Darum ist's auch
so einzig schön, durchs Leben selbst zu sterben! den
Strom so anschwellen zu lassen, daß die Ader, die
ihn aufnehmen soll, zerspringt! die höchste Wollust
und die Schauder der Vernichtung ineinander zu mi-
schen! Oft kommt's mir vor, als hätt' ich einmal zu
mir selbst gesagt: Nun will ich leben! Da ward ich
losgelassen wie aus zärtlichster Umschlingung, es ward
hell um mich, mich fröstelte, ein Ruck und ich war
da! So möcht ich auch einmal zu mir selbst sagen:
Nun will ich sterben! Und wenn ich nicht, so wie ich
das Wort ausspreche, aufgelöst in alle Winde verfliege

und eingesogen werde von all den durstigen Lippen
der Schöpfung, so will ich mich schämen und mir ein-
gestehn, daß ich Wurzeln aus Fesseln gemacht habe.
Möglich ist's; es wird sich noch einer töten durch den
bloßen Gedanken!

Einer der Hauptleute. Holofernes!

Holofernes. Du meinst, man muß sich nicht be-
rauschen. Das ist wahr, denn wer den Rausch nicht
kennt, weiß auch nichts davon, wie schal die Nüchtern-
heit ist! Und doch ist der Rausch der Reichtum unserer
Armut, und ich mag's so gern, wenn's wie ein Meer
aus mir hervorbricht und alles, was Damm und Grenze
heißt, überflutet! Und wenn's einmal in allem, was
lebt, so drängte und strömte, sollte es dann nicht
durchbrechen und zusammenkommen und wie ein großes Gewitter in Donner und Blitz über die nassen,
kalten, fetzenhaften Wolken triumphieren können, die
der Wind nach Lust und Laune herumjagt? O gewiß!
(Zu den Hauptleuten.) Ihr wundert euch über mich,
daß ich aus meinem Kopf eine Spindel mache und den
Traum- und Hirnknäuel darin Faden nach Faden ab-
zwirne wie ein Bündel Flachs. Freilich, der Gedanke
ist der Dieb am Leben; der Keim, den man aus der
Erde ans Licht hervorzerrt, wird nicht treiben; das
weiß ich recht gut, doch heute, nach einem Aderlaß,
mag's gehen! Wir haben jetzt ja Zeit, denn die in Bethulien scheinen nicht zu wissen, daß der Soldat sein
Schwert so lange schärft, als sie ihn hindern, es zu
brauchen.

Ein Hauptmann *(tritt herein)*. Herr, ein ebräisch
Weib, das wir auf dem Berg aufgegriffen haben, steht
vor der Tür.

Holofernes. Was für eine Art Weib?

Der Hauptmann. Herr, jeder Augenblick, daß du
sie nicht siehst, ist ein verlorener. Wär' sie nicht so
schön, ich hätte sie nicht zu dir geführt. Wir lagen am
Brunnen und harrten, ob sich jemand heranwagte. Da
sahen wir sie kommen; ihre Magd hinterdrein wie ihr
Schatten. Sie war verschleiert und ging anfangs so
schnell, daß die Magd ihr kaum zu folgen vermochte;

dann hielt sie plötzlich inne, als wollte sie umkehren, und wandte sich gegen die Stadt und warf sich zu Boden und schien zu beten. Nun kam sie auf uns zu und ging zum Brunnen. Einer der Wächter trat ihr entgegen, ich dachte schon, er wolle ihr ein Leides tun, denn die Soldaten sind grimmig ob dem langen Müßiggang, aber er bückte sich und schöpfte und reichte ihr das Gefäß. Sie nahm es, ohne zu danken, und führte es an ihre Lippen, doch bevor sie noch getrunken hatte, setzte sie es wieder ab und goß es langsam aus. Dies verdroß den Wächter, er zog sein Schwert und zückte es gegen sie; da schlug sie ihren Schleier zurück und sah ihn an. Es fehlte wenig, so hätt' er sich ihr zu Füßen geworfen; sie aber sprach: führt mich zum Holofernes, ich komme, weil ich mich vor ihm demütigen und ihm die Heimlichkeiten der Meinigen offenbaren will.

Holofernes. Führe sie herein! *(Der Hauptmann ab.)* Alle Weiber der Welt seh ich gern, ausgenommen eins, und das hab ich nie gesehen und werd' es nie sehen.

Einer der Hauptleute. Welche ist das?

Holofernes. Meine Mutter! Ich hätt' sie so wenig sehen mögen, als ich mein Grab sehen mag. Das freut mich am meisten, daß ich nicht weiß, woher ich kam! Jäger haben mich als einen derben Buben in der Löwenhöhle aufgelesen, eine Löwin hat mich gesäugt; darum ist's kein Wunder, daß ich den Löwen selbst einst in diesen meinen Armen zusammendrückte. Was ist denn auch eine Mutter für ihren Sohn? Der Spiegel seiner Ohnmacht von gestern oder von morgen. Er kann sie nicht ansehen, ohne der Zeit zu gedenken, wo er ein erbärmlicher Wurm war, der die paar Tropfen Milch, die er schluckte, mit Schmätzen bezahlte. Und wenn er dies vergißt, so sieht er ein Gespenst in ihr, das ihm Alter und Tod vorgaukelt und ihm die eigene Gestalt, sein Fleisch und Blut, zuwider macht.

Judith *(tritt herein; sie wird von Mirza und dem Hauptmann, die beide an der Tür stehenbleiben, be-*

gleitet; sie ist anfangs verwirrt, faßt sich aber schnell, geht auf Holofernes zu und fällt ihm zu Füßen). Du bist der, den ich suche, du bist Holofernes.

H o l o f e r n e s. Du denkst, der muß der Herr sein, auf dessen Kleid das meiste Gold schimmert.

J u d i t h. Nur einer kann so aussehen!

H o l o f e r n e s. Fänd' ich den zweiten, so würd' ich ihm den Kopf vor die Füße legen, denn auf mein Gesicht glaub ich allein ein Recht zu haben.

E i n e r d e r H a u p t l e u t e *(zum andern).* Ein Volk, das solche Weiber hat, ist nicht zu verachten.

D e r z w e i t e. Man sollt' es allein der Weiber wegen bekriegen. Nun hat Holofernes einen Zeitvertreib. Vielleicht erstickt sie mit Küssen seinen ganzen Zorn.

H o l o f e r n e s *(in ihre Betrachtung verloren).* Ist's einem nicht, solange man sie anschaut, als ob man ein köstlich Bad nähme? Man wird das, was man sieht! Die reiche, große Welt ging in das bißchen ausgespannte Haut, worin wir stecken, nicht hinein; wir erhielten Augen, damit wir sie stückweise einschlucken könnten! Nur die Blinden sind elend! Ich schwör's, ich will nie wieder jemand blenden lassen. *(Zu Judith.)* Du liegst noch auf den Knien? Steh auf! *(Sie tut's; er setzt sich auf seinen Fürstenstuhl unter den Teppich.)* Wie heißt du?

J u d i t h. Ich heiße Judith.

H o l o f e r n e s. Fürchte dich nicht, Judith; du gefällst mir, wie mir noch keine gefiel.

J u d i t h. Dies ist das Ziel aller meiner Wünsche.

H o l o f e r n e s. Nun sag an, warum hast du die in der Stadt verlassen und bist zu mir gekommen?

J u d i t h. Weil ich weiß, daß dir niemand entgehen kann! Weil unser eigner Gott dir die Meinigen in die Hand geben will.

H o l o f e r n e s *(lachend).* Weil du ein Weib bist, weil du dich auf dich selbst verlässest, weil du weißt, daß Holofernes Augen hat, nicht wahr?

J u d i t h. Höre mich gnädig an. Unser Gott ist erzürnt über uns, er hat längst durch seine Propheten verkün-

digen lassen, daß er das Volk strafen wolle um seiner
Sünde willen.

H o l o f e r n e s. Was ist Sünde?

J u d i t h *(nach einer Pause)*. Ein Kind hat mich das
einmal gefragt. Dies Kind hab ich geküßt. Was ich
dir antworten soll, weiß ich nicht.

H o l o f e r n e s. Sprich weiter.

J u d i t h. Nun stehen sie zwischen Gottes Zorn und
deinem Zorn und zittern sehr. Dazu leiden sie Hunger
und müssen verschmachten vor Durst. Und ihre große
Not verleitet sie zu neuem Frevel. Sie wollen das
heilige Opfer essen, das auch nur anzurühren ihnen
verboten ist. Es wird in ihrem Eingeweide zu Feuer
werden!

H o l o f e r n e s. Warum ergeben sie sich nicht?

J u d i t h. Sie haben nicht den Mut! Sie wissen, daß sie
das Ärgste verdient haben; wie könnten sie glauben,
daß Gott es von ihnen abwenden werde! *(Für sich.)*
Ich will ihn versuchen. *(Laut.)* Sie gehen weiter in
ihrer Angst, als du in deinem Grimm gehen kannst.
Deine Rache würde mich zermalmen, wollt' ich dir
sagen, wie ihre Furcht den Helden und den Mann in
dir zu beflecken wagt! Ich schaue zu dir empor, ich er-
spähe in deinem Angesicht die edlen Grenzen deines
Zornes, ich finde den Punkt, über den er in seiner
wildesten Flamme gar nicht hinauslodern kann. Da
muß ich erröten, denn ich erinnere mich dabei, daß
sie sich erfrechen, jeden Greuel von dir zu erwarten,
den ein schuldiges Gewissen in feiger Selbstpeinigung
nur irgend auszusinnen vermag, daß sie sich erkühnen,
in dir einen Henker zu sehen, weil sie selbst des Todes
würdig sind. *(Sie fällt vor ihm nieder.)* Auf meinen
Knien bitt ich dich wegen dieser Beleidigung meines
verblendeten Volks um Vergebung.

H o l o f e r n e s. Was machst du? Ich will nicht, daß du
vor mir knien sollst.

J u d i t h *(steht auf)*. Sie meinen, daß du sie alle töten
willst! Du lächelst, statt empört zu sein? Oh, ich vergaß, wer du bist! Du kennst die Gemüter der Menschen, dich kann nichts überraschen, dich reizt es nur

noch zum Spott, wenn dein Bild in einem trüben
Spiegel entstellt und verzerrt erscheint. Aber, dies
muß ich doch zum Ruhm der Meinigen sagen: Sie
selbst hätten einen solchen Gedanken nimmermehr
gefaßt. Sie wollten dir das Tor öffnen, da trat Achior,
der Moabiterhauptmann, unter sie und erschreckte sie.
„Was wollt ihr tun", rief er, „wißt ihr auch, daß
Holofernes euch allen den Untergang geschworen
hat?" Ich weiß, du hast ihm Leben und Freiheit geschenkt; du hast, weil du dich an einem Unwürdigen
nicht rächen mochtest, ihn zu uns hinübergesandt, ihn
großmütig in die Reihen deiner Feinde gestellt. Er
dankt es dir dadurch, daß er dein Bild in Blut malt
und dir jedes Herz abwendig macht. Nicht wahr,
mein kleines Volk bildet sich zuviel ein, wenn es sich
deines Zornes würdig dünkt? Wie könntest du hassen,
die du gar nicht kanntest, die du nur zufällig auf deinem Weg antrafst und die dir nur darum nicht aus-
wichen, weil die Angst sie erstarrte und ihnen Leben
und Besinnung raubte? Und wenn wirklich etwas wie
Mut sie beseelt hätte, könnte das dich reizen, von dir
selbst abzufallen? Könnte Holofernes *sich selbst*, alles,
was ihn groß und einzig macht, in anderen anfeinden
und verfolgen? Das ist wider die Natur und geschieht
nimmermehr! *(Sie sieht ihn an. Er schweigt.)* Oh, ich
möchte du sein! Nur einen Tag, nur eine Stunde!
Dann wollt' ich dadurch, daß ich das Schwert ein-
steckte, einen Triumph feiern, wie ihn noch keiner
durch das Schwert gefeiert hat. Tausende zittern jetzt
vor dir in jener Stadt; ihr habt mir getrotzt — würd'
ich ihnen zurufen — doch eben, weil ihr mich beleidigt
habt, schenk ich euch das Leben; ich will mich rächen
an euch, aber durch euch selbst; ich lasse euch frei ausgehen, damit ihr ganz meine Sklaven seid!
Holofernes. Weib, ahnst du auch, daß du mir dies
alles unmöglich machst, indem du mich dazu auf-
forderst? Wäre der Gedanke in mir selbst aufgestie-
gen, vielleicht hätt' ich ihn ausgeführt. Nun ist er dein
und kann nimmer mein werden. Es tut mir leid, daß
Achior recht behält!

Judith *(bricht in ein wildes Gelächter aus).* Vergib; gestatte mir, daß ich mich selbst verhöhne. Es sind Kinder in der Stadt, so unschuldig, daß sie lächeln werden, wenn sie das Eisen blinken sehen, das sie spießen soll. Es sind Jungfrauen in der Stadt, die vor dem Lichtstrahl zittern, der durch ihren Schleier dringen will. Ich dachte an den Tod, der diese Kinder erwartet, ich dachte an die Schmach, die diese Jungfrauen bedroht; ich malte mir das Gräßliche aus, und ich glaubte, niemand könne so stark sein, daß er vor solchen Bildern nicht zusammenschauderte. Verzeih, daß ich dir meine eigne Schwäche unterlegte!

Holofernes. Du wolltest mich schmücken, und das verdient meinen Dank, wenn die Art mir auch nicht ansteht. Judith, wir müssen nicht miteinander rechten. Ich bin bestimmt, Wunden zu schlagen, du, Wunden zu heilen. Wär' ich in meinem Beruf lässig, so hättest du keinen Zeitvertreib. Auch mit meinen Kriegern mußt du's nicht so genau nehmen. Leute, die heute nicht wissen, ob sie morgen noch da sind, müssen schon dreist zugreifen und sich den Magen etwas überladen, wenn sie ihren Teil von der Welt haben wollen.

Judith. Herr, du übertriffst mich an Weisheit ebenso weit wie an Mut und Kraft. Ich hatte mich in mir selbst verirrt, und nur dir dank ich's, daß ich mich wieder zurechtfand. Ha, wie töricht war ich! Ich weiß, daß sie alle den Tod verdient haben, daß er ihnen längst verkündigt worden ist; ich weiß, daß der Herr, mein Gott, dir das Rächeramt übertragen hat, und dennoch werf ich mich, von erbärmlichem Mitleid überwältigt, zwischen dich und sie. Heil mir, daß deine Hand das Schwert festhielt, daß du es nicht fallen ließest, um die Tränen eines Weibes zu trocknen. Wie würden sie in ihrem Übermut bestärkt worden sein! Was bliebe ihnen noch zu fürchten, wenn Holofernes an ihnen vorüberzöge wie ein Gewitter, das nicht zum Ausbruch kommt! Wer weiß, ob sie nicht Feigheit in deiner Großmut sehen und Spottlieder auf deine Barmherzigkeit machen würden! Jetzt sitzen sie im Sack und in der Asche und tun Buße, aber für

jede Stunde der Enthaltsamkeit würden sie sich vielleicht durch einen Tag wilder Lust und Raserei ent-
schädigen! Und all ihre Sünden würden auf meine
Rechnung kommen, und ich müßte vergehen vor Reue
und Scham. Nein, Herr, gedenk deines Schwurs und
vertilg sie! Dies läßt der Herr, mein Gott, dir gebie-
ten durch meinen Mund; er will dein Freund sein,
wie du ihr Feind bist!

H o l o f e r n e s. Weib, es kommt mir vor, als ob du
mit mir spieltest. Doch nein, ich beleidige mich selbst,
indem ich dies für möglich halte. *(Nach einer Pause.)*
Du klagst die Deinigen hart an.

J u d i t h. Meinst du, daß es mit leichtem Herzen geschieht? Es ist die Strafe meiner eignen Sünden, daß
ich sie wegen der ihrigen verklagen muß. Glaube nicht,
daß ich bloß darum von ihnen geflohen bin, weil ich
dem allgemeinen Untergang, den ich vor Augen sah,
entgehen wollte. Wer fühlte sich so rein, daß er, wenn
der Herr ein großes Gericht hält, sich ihm zu ent-
ziehen wagte? Ich kam zu dir, weil mein Gott es
mir gebot. Ich soll dich nach Jerusalem führen, ich
soll dir mein Volk in die Hand geben, wie eine
Herde, die keinen Hirten hat. Dies hat er mir ge-
heißen in einer Nacht, wo ich im verzweifelnden Gebet vor ihm auf den Knien lag, wo ich tausendfaches
Verderben auf dich und die Deinigen vor ihm herab-
flehte, wo jeder meiner Gedanken dich zu umschnüren
und zu erwürgen suchte. Seine Stimme erscholl, und
ich jauchzte hoch auf, aber er hatte mein Gebet verworfen, er sprach über mein Volk das Todesurteil, er
lud auf meine Seele das Henkeramt. Oh, das war ein
Wechsel! Ich erstarrte, aber ich gehorchte, ich verließ
eilig die Stadt und schüttelte den Staub von meinen
Füßen, ich trat vor dich hin und ermahnte dich, die
zu vertilgen, für deren Rettung ich kurz zuvor noch
Leib und Blut geopfert hätte. Siehe, sie werden mich
schmähen und meinen Namen brandmarken für immer; das ist mehr als der Tod, dennoch beharr ich und
wanke nicht!

H o l o f e r n e s. Sie werden's nicht tun. Kann dich

einer schmähen, wenn ich keinen am Leben lasse?
Wahrlich, wenn dein Gott ausrichten wird, was du
gesagt hast, so soll er auch mein Gott sein, und dich
will ich groß machen, wie noch nie ein Weib! *(Zum
Kämmerer.)* Führe sie in die Schatzkammer und speise
sie von meinem Tisch.

J u d i t h. Herr, ich darf noch nicht essen von deiner
Speise, denn ich würde mich versündigen. Ich kam ja
nicht zu dir, um von meinem Gott abzufallen, sondern
um ihm recht zu dienen. Ich habe etwas mit mir ge-
nommen, davon will ich essen.

H o l o f e r n e s. Und wenn das auf ist?

J u d i t h. Sei gewiß, bevor ich dies wenige verzehren
kann, wird mein Gott durch mich ausführen, was er
vorhat. Auf fünf Tage hab ich genug, und in fünf
Tagen bringt er's zu Ende. Noch weiß ich die Stunde
nicht, und mein Gott wird sie mir nicht eher sagen,
als bis sie da ist. Darum gib Befehl, daß ich, ohne von
den Deinigen gehindert zu werden, hinausgehen darf
ins Gebirg' bis vor die Stadt, damit ich anbete und
der Offenbarung harre.

H o l o f e r n e s. Die Erlaubnis hast du. Ich ließ die
Schritte eines Weibes noch nie bewachen. Also in fünf
Tagen, Judith!

J u d i t h *(wirft sich ihm zu Füßen und geht zur Tür).*
In fünf Tagen, Holofernes!

M i r z a *(die ihr Entsetzen und ihren Abscheu längst
durch Gebärden zu erkennen gab).* Verfluchte, so bist
du gekommen, dein Volk zu verraten?

J u d i t h. Sprich laut! Es ist gut, wenn alle hören, daß
auch du an meine Worte glaubst!

M i r z a. Sag selbst, Judith, muß ich dir nicht fluchen?

J u d i t h. Wohl mir! Wenn du nicht zweifelst, so kann
Holofernes gewiß nicht zweifeln!

M i r z a. Du weinst?

J u d i t h. Freudentränen darüber, daß ich dich täuschte.
Ich schaudere vor der Kraft der Lüge in meinem
Munde. *(Ab.)*

FÜNFTER AUFZUG

Abend. Das erleuchtete Zelt des Holofernes. Hinten ein Vorhang, der das Schlafgemach verdeckt.

Holofernes. Hauptleute. Kämmerer.

Holofernes *(zu einem der Hauptleute).* Du hast gekundschaftet? Wie steht es in der Stadt?

Der Hauptmann. Es ist, als ob sich alle darin selbst begraben hätten. Diejenigen, welche die Tore bewachen, sind wie aus dem Grabe emporgestiegen. Auf einen legte ich an, doch bevor ich noch abdrückte, fiel er schon von selbst tot zu Boden.

Holofernes. Also Sieg ohne Krieg. Wär' ich jünger, so mißfiele mir's. Da glaubt' ich mein Leben zu stehlen, wenn ich's mir nicht täglich neu erkämpfte; was mir geschenkt wurde, meinte ich gar nicht zu besitzen.

Der Hauptmann. Priester sieht man stumm und ernsthaft durch die Gassen schleichen. Lange, weiße Gewänder, wie bei uns die Toten tragen. Hohle Augen, die den Himmel zu durchbohren suchen. Krampf in den Fingern, wenn sie die Hände falten.

Holofernes. Daß man mir solche Priester nicht tötet! Die Verzweiflung in ihrem Gesicht ist mein Bundesgenosse.

Der Hauptmann. Wenn sie jetzt zum Himmel emporschauen, so gilt es nicht dem Gott, den sie dort suchen, es gilt einer Regenwolke. Aber die Sonne zehrt die dünnen Wolken auf, die einen Tropfen der Erquickung versprechen, und auf die zerspringenden Lippen fällt ihr heißer Strahl. Dann ballen sich Hände, dann rollen Augen, dann zerstoßen sich Köpfe an den Mauern, daß Blut und Gehirn fließt!

Holofernes. Wir sahen das öfter. *(Lachend.)* Haben wir doch selbst eine Hungersnot erlebt, wo der eine scheu zurückwich, wenn der andre ihn küssen wollte, aus bloßer Furcht vor einem Biß in die Backe. Hallo, bereitet das Mahl, laßt uns lustig sein! *(Es geschieht.)* Ist nicht morgen der fünfte Tag?

Der Hauptmann. Ja.

Holofernes. Da wird sich's entscheiden! Übergibt
sich Bethulien, wie diese Ebräerin verkündigt, kommt
sie von selbst herangekrochen, die halsstarrige Stadt,
und legt sich mir zu Füßen ...

Der Hauptmann. Holofernes zweifelt?

Holofernes. An allem, was er nicht befehlen kann.
Aber geschieht's, wie das Weib verhieß, wird mir auf-
gemacht, ohne daß ich mit dem Schwerte anzuklopfen
brauche, dann ...

Der Hauptmann. Dann?

Holofernes. Dann bekommen wir einen neuen
Herrn. Wahrlich, ich habe geschworen, daß der Gott
Israels, wenn er mir einen Gefallen tut, auch mein
Gott sein soll, und bei allen, die schon meine Götter
sind, beim Bel zu Babel und beim großen Baal, ich
werd's halten! Hier, diesen Becher mit Wein bring
ich ihm dar, dem Je ... Je ... *(Zum Kämmerer.)*
Wie sagtest du doch, daß er hieße?

Kämmerer. Jehova.

Holofernes. Laß dir das Opfer gefallen, Jehova.
Ein Mann bringt's dir, und ein solcher, der es nicht
nötig hätte.

Der Hauptmann. Und wenn Bethulien sich nicht
ergibt?

Holofernes. Schwur gegen Schwur. Dann laß ich
den Jehova auspeitschen, und die Stadt — doch ich
will meinem Zorn nicht schon jetzt die Grenze ab-
messen! Es heißt den Blitz schulmeistern. Was macht
die Ebräerin?

Der Hauptmann. Oh, sie ist schön. Aber sie ist
auch spröde!

Holofernes. Hast du sie versucht? *(Der Hauptmann
schweigt verlegen. — Mit wildem Blick:)* Du wagtest
das, und wußtest, daß sie mir wohlgefällt? Nimm das,
Hund! *(Er haut ihn nieder.)* Schafft ihn weg und führt
mir das Weib her. Es ist eine Schande, daß sie unbe-
rührt unter uns Assyriern einhergeht! — *(Der Körper
wird fortgeschafft.)* Weib ist Weib, und doch bildet
man sich ein, es sei ein Unterschied. Freilich fühlt ein

Mann nirgends so sehr, wieviel er wert ist, als an
Weibesbrust. Ha, wenn sie seiner Umarmung entge-
genzittern, im Kampf zwischen Wollust und Scham-
gefühl; wenn sie Miene machen, als ob sie fliehen
wollten, und dann mit einmal, von ihrer Natur über-
mannt, an seinen Hals fliegen, wenn ihr letztes bißchen
Selbständigkeit und Bewußtsein sich aufrafft und sie,
da sie nicht mehr trotzen können, zum freiwilligen
Entgegenkommen antreibt; wenn dann, durch verräte-
rische Küsse in jedem Blutstropfen geweckt, ihre Begierde mit der Begierde des Mannes in die Wette
läuft und sie ihn auffordern, wo sie Widerstand leisten sollten — ja, das ist Leben, da erfährt man's,
warum die Götter sich die Mühe gaben, Menschen zu
machen, da hat man ein Genügen, ein überfließendes
Maß! Und vollends, wenn ihre kleine Seele noch den
Moment zuvor von Haß und feigem Groll erfüllt
war, wenn das Auge, das jetzt in Wonne bricht, sich
finster schloß, als der Überwinder hereintrat, wenn
die Hand, die jetzt schmeichelnd drückt, ihm gern
Gift in den Wein gemischt hätte! Das ist ein Triumph
wie keiner mehr, und den hab ich schon oft gefeiert.
Auch diese Judith — zwar ist ihr Blick freundlich, und
ihre Wangen lächeln wie Sonnenschein; aber in ihrem
Herzen wohnt niemand als ihr Gott, und den will ich
jetzt vertreiben! In meinen Jugendtagen hab ich wohl,
wenn ich einem Feind begegnete, statt mein eignes
Schwert zu ziehen, ihm das seinige aus der Hand ge-
wunden und ihn damit niedergehauen. So will ich
auch diese vernichten; sie soll vor mir vergehen durch
ihr eignes Gefühl, durch die Treulosigkeit ihrer Sinne!

J u d i t h (*tritt mit Mirza ein*). Du hast befohlen, hoher
    Herr, und deine Magd gehorcht.

H o l o f e r n e s. Setze dich, Judith, und iß und trink,
    denn du hast Gnade vor mir gefunden.

J u d i t h. Das will ich, Herr, ich will fröhlich sein,
    denn ich bin mein lebenlang nicht so geehrt worden!

H o l o f e r n e s. Warum zögerst du?

J u d i t h (*schaudernd, indem sie auf das frische Blut
    deutet*). Herr, ich bin ein Weib.

H o l o f e r n e s. Betrachte es recht, dies Blut. Es muß
deiner Eitelkeit schmeicheln, denn es ist geflossen, weil
es für dich entzündet war.

J u d i t h. Wehe!

H o l o f e r n e s *(zu dem Kämmerer)*. Andere Teppiche
her! *(Zu den Hauptleuten.)* Entfernt euch!
  (Die Teppiche werden gebracht. Die Hauptleute
                  gehen ab.)

J u d i t h *(für sich)*. Mein Haar sträubt sich, aber doch
dank ich dir, Gott, daß du mir den Entsetzlichen auch
in dieser Gestalt zeigtest. Den Mörder kann ich leichter morden.

H o l o f e r n e s. Nun laß dich nieder. Du bist blaß geworden, dein Busen fliegt. Bin ich dir schrecklich?

J u d i t h. Herr, du warst freundlich gegen mich!

H o l o f e r n e s. Sei aufrichtig, Weib!

J u d i t h. Herr, du müßtest mich verachten, wenn ich —

H o l o f e r n e s. Nun?

J u d i t h. Wenn ich dich lieben könnte.

H o l o f e r n e s. Weib, du wagst viel. Vergib. Du wagst
nichts. Solch ein Wort hört' ich noch nicht. Nimm die
goldne Kette für dies Wort.

J u d i t h *(verlegen)*. Herr, ich verstehe dich nicht!

H o l o f e r n e s. Wehe dir, wenn du mich verstündest!
Der Leu blickt ein Kind, das ihn verwegen an der
Mähne zupft, weil es ihn nicht kennt, mit Freund-
lichkeit an. Wollte das Kind, nachdem es groß und
klug geworden, dasselbe versuchen, der Leu würde
es zerreißen. Setz dich zu mir, wir wollen plau-
dern. Sag mir, was dachtest du, als du zuerst ver-
nahmst, daß ich mit Heeresmacht dein Vaterland
bedrohte?

J u d i t h. Ich dachte nichts.

H o l o f e r n e s. Weib, man denkt an manches, wenn
man von Holofernes hört.

J u d i t h. Ich dachte an den Gott meiner Väter.

H o l o f e r n e s. Und fluchtest mir?

J u d i t h. Nein, ich hoffte, mein Gott werde es tun.

H o l o f e r n e s. Gib mir den ersten Kuß. *(Er küßt sie.)*

J u d i t h *(für sich)*. Oh, warum bin ich ein Weib!

Holofernes. Und als du nun das Rollen meiner
   Wagen hörtest und das Stampfen meiner Kamele und
   das Klirren meiner Schwerter, was dachtest du da?
Judith. Ich dachte, du wärest nicht der einzige Mann
   in der Welt und aus Israel würde einer hervorgehen,
   der dir gleich sei.
Holofernes. Als du nun aber sahest, daß mein
   Name allein hinreiche, dein Volk in den Staub zu
   werfen, daß euer Gott das Wundertun vergaß und
   daß eure Männer sich Weiberkleider wünschten —
Judith. Da rief ich pfui aus und verhüllte mein Angesicht, sobald ich einen Mann erblickte, und wenn
   ich beten wollte, so empörten sich meine Gedanken
   gegen mich selbst und zerfleischten sich untereinander
   und ringelten sich wie Schlangen um das Bild meines
   Gottes herum. Oh, seit ich das empfand, schaudere
   ich vor meiner eigenen Brust; sie kommt mir vor wie
   eine Höhle, in die die Sonne hineinscheint, und die
   dennoch in heimlichen Winkeln das schlimmste Ge-
   würm beherbergt.
Holofernes (betrachtet sie von der Seite). Wie sie
   glüht! Sie erinnert mich an eine Feuerkugel, die ich
   einst in dunkler Nacht am Himmel aufsteigen sah.
   Sei mir willkommen, Wollust, an den Flammen des
   Hasses ausgekocht! Küsse mich, Judith! (Sie tut's.)
   Ihre Lippen bohren sich ein wie Blutegel und sind
   doch kalt. Trink Wein, Judith. Im Wein ist alles, was
   uns fehlt!
Judith (trinkt, nachdem ihr Mirza eingeschenkt hat).
   Ja, im Wein ist Mut, Mut!
Holofernes. Also Mut bedarfst du, um mit mir an
   meiner Tafel zu sitzen, um meine Blicke auszuhalten
   und meinen Küssen entgegenzukommen? Armes Ge-
   schöpf!
Judith. O du — (Sich fassend.) Vergib. (Sie weint.)
Holofernes. Judith, ich schaue in dein Herz hin-
   ein. Du hassest mich. Gib mir deine Hand und er-
   zähle mir von deinem Haß!
Judith. Meine Hand? O Hohn, der die Axt an die
   Wurzeln meiner Menschheit legt!

Holofernes. Wahrlich, wahrlich, dies Weib ist be-
gehrenswert!

Judith. Spring auf, mein Herz! Halte nichts mehr
zurück! *(Sie richtet sich auf.)* Ja, ich hasse dich, ich
verfluche dich, und ich muß es dir sagen, du mußt
wissen, wie ich dich hasse, wie ich dich verfluche, wenn
ich nicht wahnsinnig werden soll! Nun töte mich!

Holofernes. Dich töten? Morgen vielleicht; heute
wollen wir erst miteinander zu Bett gehen.

Judith *(für sich).* Wie ist mir auf einmal so leicht!
Nun darf ich's tun!

Kämmerer *(tritt ein).* Herr, ein Ebräer harret drau-
ßen vor dem Zelt. Er bittet dringend, vor dich gelas-
sen zu werden. Dinge von höchster Wichtigkeit . . .

Holofernes *(erhebt sich).* Vom Feind? Führ ihn herein! *(Zu Judith.)* Ob sie sich ergeben wollen? Dann
nenne mir doch schnell die Namen deiner Vettern und
Freunde! Die will ich verschonen.

Ephraim *(stürzt ihm zu Füßen).* Herr, sicherst du
mir mein Leben?

Holofernes. Ich sichre es dir.

Ephraim. Wohlan! *(Nähert sich ihm, zieht rasch sein
Schwert und haut nach ihm. Holofernes weicht aus.)*

Kämmerer *(tritt hastig ein).* Schurk', ich will dir
zeigen, wie man Männer niederhaut! *(Will Ephraim*

Holofernes. Halt! *[niederhauen.)*

Ephraim *(will sich selbst in sein Schwert stürzen).*
Das sah Judith! Ewige Schande über mich!

Holofernes *(verhindert ihn).* Untersteh dich's nicht
zum zweitenmal! Willst du mir das Halten meines
Worts unmöglich machen? Ich sicherte dir dein Leben,
ich muß dich also auch gegen dich selbst schützen!
Ergreift ihn! Ist nicht mein Lieblingsaffe verreckt?
Steckt ihn in dessen Käfig und lehrt ihn die Kunststük-
ke seines schnurrigen Vorgängers. Der Mensch ist eine
Merkwürdigkeit, er ist der einzige, der sich berühmen
kann, nach dem Holofernes gehauen zu haben und
mit heiler Haut davongekommen zu sein. Ich will ihn
bei Hofe zeigen. *(Kämmerer mit Ephraim ab. Zu
Judith.)* Gibt's viele Schlangen in Bethulien?

J u d i t h. Nein, aber manchen Rasenden.

H o l o f e r n e s. Den Holofernes töten; auslöschen den
Blitz, der mit dem Weltbrande droht; eine Unsterblichkeit im Keim erdrücken, einen kühnen Anfang
zum großmauligen Prahler machen, indem man ihn
um sein Ende verkürzt – oh, das mag verlockend
sein! Das heißt eingreifen in die Zügel des Geschicks!
Dazu könnt' ich mich selbst verführen lassen, wenn
ich nicht wäre, der ich bin! Aber das Große auf kleine
Weise tun wollen, dem Löwen erst ein Netz aus seinem eigenen Edelmut spinnen und ihm dann mit dem
Mord auf den Leib rücken, die Tat wagen und die
Gefahr feig und klug vorher abkaufen: Nicht wahr,
Judith, das heißt Götter machen aus Dreck, dazu
wirst du doch pfui! sagen müssen, und wenn's dein
bester Freund gegen deinen ärgsten Feind versucht!

J u d i t h. Du bist groß und andere sind klein. *(Leise.)*
Gott meiner Väter, schütze mich vor mir selbst, daß
ich nicht verehren muß, was ich verabscheue! Er ist
ein Mann.

H o l o f e r n e s *(zum Kämmerer).* Bereite mir das Lager! *(Kämmerer ab.)* Siehe, Weib, diese meine Arme
sind bis an den Ellenbogen in Blut getaucht, jeder
meiner Gedanken gebiert Greuel und Verwüstung,
mein Wort ist Tod; die Welt kommt mir jämmerlich
vor, mir deucht, ich bin geboren, sie zu zerstören,
damit was Besseres kommen kann. Die Menschen verfluchen mich, aber ihr Fluch haftet nicht an meiner
Seele, sie rührt ihre Schwingen und schüttelt ihn ab
wie ein Nichts; ich muß also wohl im Recht sein. „Oh,
Holofernes, du weißt nicht, wie das tut!" ächzte einmal einer, den ich auf glühendem Rost braten ließ.
„Ich weiß das wirklich nicht", sagte ich und legte mich
an seine Seite. Bewundere das nicht, es war eine Torheit.

J u d i t h *(für sich).* Hör auf, hör auf! Ich muß ihn
morden, wenn ich nicht vor ihm knien soll.

H o l o f e r n e s. Kraft! Kraft! Das ist's. Er komme,
der sich mir entgegenstellt, der mich darniederwirft.
Ich sehne mich nach ihm! Es ist öde, nichts ehren zu

können als sich selbst. Er mag mich im Mörser zer-
stampfen und, wenn's ihm so gefällt, mit dem Brei
das Loch ausfüllen, das ich in die Welt riß. Ich bohre
tiefer und immer tiefer mit meinem Schwert; wenn
das Zetergeschrei den Retter nicht weckt, so ist keiner
da. Der Orkan durchsaust die Lüfte, er will seinen
Bruder kennenlernen. Aber die Eichen, die ihm zu
trotzen scheinen, entwurzelt er, die Türme stürzt er
um und den Erdball hebt er aus den Angeln. Da
wird's ihm klar, daß es seinesgleichen nicht gibt, und
vor Ekel schläft er ein. Ob Nebukadnezar mein Bruder ist? Mein Herr ist er ganz gewiß. Vielleicht wirft
er meinen Kopf noch einmal den Hunden vor. Wohl
bekomm ihnen die Speise! Vielleicht füttre ich mit
seinen Eingeweiden noch einmal die Tiger Assyriens.
Dann — ja dann weiß ich, daß ich das Maß der
Menschheit bin, und eine Ewigkeit hindurch stehe ich
vor ihrem schwindelnden Auge als unerreichbare,
schreckenumgürtete Gottheit! Oh, der letzte Moment,
der letzte! wäre er doch schon da! „Kommet her, alle,
denen ich wehe tat", ruf ich aus, „ihr, die ich ver-
stümmelte, ihr, denen ich die Weiber aus den Armen
und die Töchter von der Seite riß, kommt und ersinnt
Qualen für mich! Zapft mir mein Blut ab und laßt
mich's trinken, schneidet mir Fleisch aus den Lenden
und gebt mir's zu essen!" Und wenn sie das Ärgste
mir getan zu haben glauben und ich ihnen doch noch
etwas Ärgeres nenne und sie freundlich bitte, es mir
nicht zu versagen, wenn sie mit grausendem Erstau-
nen umherstehen und ich sie, trotz all meiner Pein,
in Tod und Wahnsinn hineinlächle, dann donnre ich
ihnen zu: Kniet nieder, denn ich bin euer Gott, und
schließe Lippen und Augen und sterbe still und geheim.

J u d i t h *(zitternd).* Und wenn der Himmel seinen
Blitz nach dir wirft, um dich zu zerschmettern?

H o l o f e r n e s. Dann reck ich die Hand aus, als ob
ich selbst es ihm geböte, und der Todesstrahl um-
kleidet mich mit düsterer Majestät.

J u d i t h. Ungeheuer! Grauenvoll! Meine Empfindun-

gen und Gedanken fliegen durcheinander wie dürre
Blätter. Mensch, entsetzlicher, du drängst dich zwi-
schen mich und meinen Gott! Ich muß beten in diesem
Augenblick, und kann's nicht!

H o l o f e r n e s. Stürz hin und bete mich an!

J u d i t h. Ha, nun seh ich wieder klar! Dich? Du trot-
zest auf deine Kraft. Ahnst du denn gar nicht, daß
sie sich verwandelt hat? daß sie dein Feind geworden
ist?

H o l o f e r n e s. Ich freue mich, etwas Neues zu hören.

J u d i t h. Du glaubst, sie sei da, um gegen die Welt
Sturm zu laufen; wie, wenn sie da wäre, um sich
selbst zu beherrschen? Du aber hast sie zum Futter
deiner Leidenschaft gemacht, du bist der Reiter, den
seine Rosse verzehren.

H o l o f e r n e s. Ja, ja, die Kraft ist zum Selbstmord
berufen, so spricht die Weisheit, die keine Kraft ist.
Kämpfen mit mir selbst, aus meinem linken Bein
den Knochen machen, über den das rechte stolpert,
damit es nur ja den benachbarten Ameisenhaufen
nicht zertrete. Jener Narr in der Wüste, der mit seinem Schatten focht und der, als die Nacht herein-
brach, ausrief: „Nun bin ich geschlagen, nun ist mein
Feind so groß wie die Welt" — jener Narr war eigent-
lich sehr gescheut, nicht wahr? Oh, zeigt mir doch das
Feuer, das sich selbst ausgießt! Findet ihr's nicht?
So zeigt mir das, das sich durch sich selbst ernährt!
Findet ihr's auch nicht? So sagt mir, steht dem Baum,
den es verzehrt, der Richterspruch über das Feuer zu?

J u d i t h. Ich weiß nicht, ob man dir etwas antworten
kann. Wo der Sitz meiner Gedanken war, da ist jetzt
Öde und Finsternis. Selbst mein Herz versteh ich nicht
mehr.

H o l o f e r n e s. Du hast ein Recht, über mich zu la-
chen. Man muß einem Weibe so etwas nicht begreif-
lich machen wollen.

J u d i t h. Lerne das Weib achten! Es steht vor dir,
um dich zu ermorden! Und es sagt dir das!

H o l o f e r n e s. Und es sagt mir das, um sich die Tat
unmöglich zu machen! O Feigheit, die sich für Größe

hält! Doch du willst's auch wohl nur, weil ich nicht
mit dir zu Bette gehe! Um mich vor dir zu schützen,
brauch ich dir bloß ein Kind zu machen.

J u d i t h. Du kennst kein ebräisch Weib! Du kennst
nur Kreaturen, die sich in ihrer tiefsten Erniedrigung
am glücklichsten fühlen.

H o l o f e r n e s. Komm, Judith, ich will dich kennenlernen! Sträube dich immerhin noch ein wenig, ich
will dir selbst sagen wie lange. Noch einen Becher!
(Er trinkt.) Nun stell das Sträuben ein, es ist genug!
— *(Zum Kämmerer.)* Fort mit dir! Und wer mich in
dieser Nacht stört, den kostet's den Kopf! *(Er führt
Judith mit Gewalt ab.)*

J u d i t h *(im Abgehen)*. Ich muß — ich will — pfui
über mich in Zeit und Ewigkeit, wenn ich nicht kann!

K ä m m e r e r *(zu Mirza)*. Du willst hierbleiben?

M i r z a. Ich muß meiner Gebieterin warten.

K ä m m e r e r. Warum bist du nicht ein Weib wie Judith? Dann könnt' ich ebenso glücklich sein wie mein
Herr!

M i r z a. Warum bist du nicht ein Mann wie Holofernes?

K ä m m e r e r. Ich bin, der ich bin, damit Holofernes
seine Bequemlichkeit habe. Damit der große Held
sich nicht selbst die Speisen aufzutragen und den Wein
einzuschenken braucht. Damit er einen hat, der ihn zu
Bett bringt, wenn er betrunken ist. Nun aber gib auch
du mir Antwort. Wozu sind die häßlichen Weiber in
der Welt?

M i r z a. Damit ein Narr sie verspotten kann.

K ä m m e r e r. Jawohl, und damit man ihnen bei Licht
ins Gesicht speie, wenn` man das Unglück hatte, sie
im Dunkeln zu küssen. Holofernes hat einmal ein
Weib, das zur ungelegenen Zeit vor ihn trat, niedergehauen, weil er es nicht schön genug fand. Der trifft
immer das Rechte. Verkriech dich in eine Ecke, ebrä-
ische Spinne, und sei still! *(Er geht ab.)*

M i r z a *(allein)*. Still! Ja, still! Ich glaube, dort *(sie
deutet auf das Schlafgemach)* wird jemand ermordet;
ich weiß nicht, ob Holofernes oder Judith! Still!

still! Ich stand einmal an einem Wasser und sah, wie ein Mensch darin ertrank. Die Angst trieb mich, ihm nachzuspringen; die Angst hielt mich wieder zurück. Da schrie ich, so laut ich konnte, und ich schrie nur, um sein Schreien nicht zu hören. So *red* ich jetzt! O Judith! Judith! Als du zum Holofernes kamst und ihm mit einer Verstellung, die ich nicht faßte, dein Volk in die Hände zu liefern versprachst, da hielt ich dich einen Augenblick für eine Verräterin. Ich tat dir unrecht, und ich fühlte es gleich. Oh, möchte ich dir auch jetzt unrecht tun! Möchten deine halben Worte, deine Blicke und Gebärden mich auch jetzt täuschen wie damals! Ich habe keinen Mut, ich fürchte mich sehr; aber nicht die Furcht spricht jetzt aus mir, nicht die Angst vor dem Mißlingen. Ein Weib soll Männer gebären, nimmermehr soll sie Männer töten!

J u d i t h *(stürzt mit aufgelöstem Haar schwankend herein. Ein zweiter Vorhang wird zurückgeschlagen. Man sieht Holofernes schlafen. Zu seinen Häupten hängt sein Schwert).* Es ist hier zu hell, zu hell! Lösch die Lichter, Mirza, sie sind unverschämt!

M i r z a *(aufjauchzend).* Sie lebt, und er lebt — *(Zu Judith.)* Wie ist dir, Judith? Deine Wangen glühen, als wollte das Blut herausspringen! Dein Auge blickt scheu!

J u d i t h. Sieh mich nicht an, Mädchen! Niemand soll mich ansehen! *(Sie schwankt.)*

M i r z a. Lehne dich an mich, du schwankst!

J u d i t h. Wie, ich wäre so schwach? Fort von mir! Ich kann stehen, oh, ich kann noch mehr als stehen, ich kann unendlich viel mehr!

M i r z a. Komm, laß uns fliehen von hier!

J u d i t h. Was? Bist du in seinem Solde? Daß er mich mit sich fortzerrte, daß er mich zu sich riß auf sein schändliches Lager, daß er meine Seele erstickte, alles dies duldetest du? Und nun ich mich bezahlt machen will für die Vernichtung, die ich in seinen Armen empfand, nun ich mich rächen will für den rohen Griff in meine Menschheit hinein, nun ich mit seinem Herzblut die entehrenden Küsse, die noch auf meinen Lip-

pen brennen, abwaschen will, nun errötest du nicht,
mich fortzuziehen?

M i r z a. Unglückliche, was sinnst du?

J u d i t h. Elendes Geschöpf, das weißt du nicht? Das
sagt dir dein Herz nicht? Mord sinne ich! — *(Da
Mirza zurücktritt.)* Gibt's denn noch eine Wahl? —
Sag mir das, Mirza. Ich wähle den Mord nicht, wenn
ich . . . Was red ich da! Sprich kein Wort mehr,
Magd! Die Welt dreht sich um mich.

M i r z a. Komm!

J u d i t h. Nimmermehr! Ich will dir deine Pflicht leh-
ren! Sieh, Mirza, ich bin ein Weib! Oh, ich sollte
das jetzt nicht fühlen! Höre mich und tu, worum
ich dich bitte. Wenn meine Kraft mich verlassen, wenn
ich ohnmächtig hinsinken sollte, dann besprítz mich
nicht mit Wasser. Das hilft nicht. Ruf mir ins Ohr:
Du bist eine Hure! Dann spring ich auf, vielleicht
pack ich dich und will dich würgen. Dann erschrick
nicht, sondern ruf mir zu: Holofernes hat dich zur
Hure gemacht, und Holofernes lebt noch! Oh, Mirza,
dann werd ich ein Held sein, ein Held wie Holofernes!

M i r z a. Deine Gedanken wachsen über dich hinaus.

J u d i t h. Du verstehst mich nicht. Aber du mußt, du
sollst mich verstehen. Mirza, du bist ein Mädchen.
Laß mich hineinleuchten in das Heiligtum deiner
Mädchenseele. Ein Mädchen ist ein törichtes Wesen,
das vor seinen eigenen Träumen zittert, weil ein
Traum es tödlich verletzen kann, und das doch nur
von der Hoffnung lebt, nicht ewig ein Mädchen zu
bleiben. Für ein Mädchen gibt es keinen größeren
Moment als den, wo es aufhört, eins zu sein, und
jede Wallung des Blutes, die es vorher bekämpfte,
jeder Seufzer, den es erstickte, erhöht den Wert des
Opfers, das es in jenem Moment zu bringen hat.
Es bringt sein alles — ist es ein zu stolzes Verlangen, wenn es durch sein alles Entzücken und Selig-
keit einflößen will? Mirza, hörst du mich?

M i r z a. Wie sollt' ich dich nicht hören!

J u d i t h. Nun denk es dir in seiner ganzen nackten
Entsetzlichkeit, nun mal es dir aus bis zu dem Punkt,

wo die Scham sich mit aufgehobenen Händen zwischen dich und deine Vorstellungen wirft, und wo du eine Welt verfluchst, in der das Ungeheuerste möglich ist!

M i r z a. Was denn? Was soll ich mir ausmalen?

J u d i t h. Was du dir ausmalen sollst? Dich selbst in deiner tiefsten Erniedrigung — den Augenblick, wo du an Leib und Seel' ausgekeltert wirst, um an die Stelle des gemißbrauchten Weins zu treten und einen gemeinen Rausch mit einem noch gemeineren schließen zu helfen — wo die einschlafende Begier von deinen eigenen Lippen so viel Feuer borgt, als sie braucht, um an deinem Heiligsten den Mord zu vollziehen — wo deine Sinne selbst, wie betrunken gemachte Sklaven, die ihren Herrn nicht mehr kennen, gegen dich aufstehen — wo du anfängst, dein ganzes voriges Leben, all dein Denken und Empfinden, für eine bloße hochmütige Träumerei zu halten, und deine Schande für dein wahres Sein!

M i r z a. Wohl mir, daß ich nicht schön bin!

J u d i t h. Das übersah ich, als ich hieher kam. Aber wie sichtbar trat es mir entgegen, als ich *(sie zeigt auf die Kammer)* dort einging, als mein erster Blick auf das bereitete Lager fiel. Auf die Knie warf ich mich nieder vor dem Gräßlichen und stöhnte: Verschone mich! Hätte er auf den Angstschrei meiner Seele gehört, nimmer, nimmer würd' ich ihn — — — doch seine Antwort war, daß er mir das Brusttuch abriß und meine Brüste pries. In die Lippen biß ich ihn, als er mich küßte. „Mäßige deine Glut! du gehst zu weit!" hohnlachte er und — oh, mein Bewußtsein wollte mich verlassen, ich war nur noch ein Krampf, da blinkte mir was Glänzendes ins Auge. Es war sein Schwert. An dies Schwert klammerten sich meine schwindelnden Gedanken an, und hab ich in meiner Entwürdigung das Recht des Daseins eingebüßt: Mit diesem Schwert will ich's mir wieder erkämpfen! Bete für mich! jetzt tu ich's! *(Sie stürzt in die Kammer und langt das Schwert herunter.)*

M i r z a *(auf den Knien)*. Weck ihn auf, Gott!

J u d i t h *(sinkt in die Knie)*. O Mirza, was betest du?

M i r z a *(erhebt sich wieder)*. Gott sei gelobt, sie kann's nicht!

J u d i t h. Nicht wahr, Mirza, der Schlaf ist Gott selbst, der die müden Menschen umarmt; wer schläft, muß sicher sein! *(Sie erhebt sich und betrachtet Holofernes.)* Und er schläft ruhig, er ahnt nicht, daß der Mord sein eignes Schwert wider ihn zückt. Er schläft ruhig — ha, feiges Weib, was dich empören sollte, macht dich mitleidig? Dieser ruhige Schlaf nach einer solchen Stunde, ist er nicht der ärgste Frevel? Bin ich denn ein Wurm, daß man mich zertreten, und als ob nichts geschehen wäre, ruhig einschlafen darf? Ich bin kein Wurm. *(Sie zieht das Schwert aus der Scheide.)* Er lächelt. Ich kenn es, dies Höllenlächeln; so lächelte er, als er mich zu sich niederzog, als er — Töt ihn, Judith, er entehrt dich zum zweitenmal in seinem Traum, sein Schlaf ist nichts als ein hündisches Wiederkäuen deiner Schmach. Er regt sich. Willst du zögern, bis die wieder hungrige Begier ihn weckt, bis er dich abermals ergreift und . . . *(Sie haut des Holofernes Haupt herunter.)* Siehst du, Mirza, da liegt sein Haupt! Ha, Holofernes, achtest du mich jetzt?

M i r z a *(wird ohnmächtig)*. Halte mich!

J u d i t h *(von Schauern geschüttelt)*. Sie wird ohnmächtig — ist denn meine Tat ein Greuel, daß sie dieser hier das Blut in den Adern erstarren macht und sie wie tot darniederwirft? *(Heftig.)* Wach auf aus deiner Ohnmacht, Törin, deine Ohnmacht klagt mich an, und das duld ich nicht!

M i r z a *(erwachend)*. Wirf doch ein Tuch darüber!

J u d i t h. Sei stark, Mirza, ich flehe dich, sei stark! Jeder deiner Schauer kostet mich ein Teil meiner selbst; dies dein Zurückschwindeln, dies grausame Abwenden deiner Blicke, dies Erblassen deines Gesichts könnte mir einreden, ich habe das Unmenschliche getan und dann müßt' ich ja mich selbst . . . *(Sie greift nach dem Schwert. Mirza wirft sich ihr an die Brust.)* Juble, mein Herz, Mirza kann mich noch umarmen! Aber weh mir, sie flüchtet sich wohl nur an

meine Brust, weil sie den Toten nicht ansehen kann,
weil sie vor der zweiten Ohnmacht zittert. Oder
kostet dich die Umarmung die zweite Ohnmacht?
(Stößt sie von sich.)

Mirza. Du tust mir weh! und dir noch mehr!

Judith *(faßt ihre Hand, sanft)*. Nicht wahr, Mirza,
wenn's ein Greuel wäre, wenn ich wirklich gefrevelt
hätte, du würdest mich das ja nicht fühlen lassen; du
würdest ja, und wollt' ich selbst über mich zu Gericht
sitzen und mich verdammen, freundlich zu mir sagen:
Du tust dir unrecht, es war eine Heldentat!

(Mirza schweigt.)

Ha, bild dir nur nicht ein, daß ich schon als Bettlerin
vor dir stehe, daß ich mich schon verdammt habe und
von dir die Begnadigung erwarte. Es *ist* eine Heldentat, denn jener war Holofernes, und ich — ich bin ein
Ding wie du! Es ist mehr als eine Heldentat; ich
möchte den Helden sehen, den seine größte Tat nur
halb soviel gekostet hat wie mich die meinige.

Mirza. Du sprachst von Rache. Eins muß ich dich
fragen. Warum kamst du im Glanz deiner Schönheit
in dies Heidenlager? Hättest du es nie betreten, du
hättest nichts zu rächen gehabt.

Judith. Warum ich kam? Das Elend meines Volks
peitschte mich hierher, die dräuende Hungersnot, der
Gedanke an jene Mutter, die sich ihren Puls aufriß,
um ihr verschmachtendes Kind zu tränken. Oh, nun
bin ich wieder mit mir ausgesöhnt. Dies alles hatt'
ich über mich selbst vergessen!

Mirza. Du hattest es vergessen. Das also war's nicht,
was dich trieb, als du deine Hand in Blut tauchtest!

Judith *(langsam, vernichtet)*. Nein — nein — du hast
recht — das war's nicht — nichts trieb mich, als der
Gedanke an mich selbst. Oh, hier ist ein Wirbel!
Mein Volk ist erlöst, doch wenn ein Stein den Holo-
fernes zerschmettert hätte — es wäre dem Stein mehr
Dank schuldig als jetzt mir! Dank? Wer will den?
Aber jetzt muß ich meine Tat allein tragen, und sie
zermalmt mich!

Mirza. Holofernes hat dich umarmt. Wenn du ihm

einen Sohn gebierst: Was willst du antworten, wenn
er dich nach seinem Vater fragt?

J u d i t h. Oh, Mirza, ich muß sterben, und ich will's.
Ha! ich will durch das schlafende Lager eilen, ich
will das Haupt des Holofernes emporheben, ich will
meinen Mord ausschreien, daß Tausende aufstehen
und mich in Stücke zerreißen. *(Will fort.)*

M i r z a *(ruhig)*. Dann zerreißen sie auch mich.

J u d i t h *(bleibt stehen)*. Was soll ich tun! Mein Hirn
löst sich in Rauch auf, mein Herz ist wie eine Todeswunde. Und doch kann ich nichts denken als mich
selbst. Wär' das doch anders! Ich fühl mich wie ein
Auge, das nach innen gerichtet ist. Und wie ich
mich so scharf betrachte, werd' ich kleiner, immer
kleiner, noch kleiner, ich muß aufhören, sonst ver-
schwind ich ganz ins Nichts.

M i r z a *(aufhorchend)*. Gott, man kommt!

J u d i t h *(verwirrt)*. Ruhig! Ruhig! Es kann niemand
kommen! Ich hab die Welt ins Herz gestochen *(lachend)*, und ich traf sie gut! Sie soll wohl stehenbleiben! Was Gott nur dazu sagt, wenn er morgen früh
herunterschaut und sieht, daß die Sonne nicht mehr
gehen kann und daß die Sterne lahm geworden sind.
Ob er mich strafen wird? O nein, ich bin ja die einzige, die noch lebt; wo käme wieder Leben her? Wie
könnt' er mich töten?

M i r z a. Judith!

J u d i t h. Au, mein Name tut mir weh!

M i r z a. Judith!

J u d i t h *(unwillig)*. Laß mich schlafen! Träume sind
Träume! Ist's nicht lächerlich? Ich könnte jetzt weinen! Hätt' ich nur einen, der mir sagte, warum.

M i r z a. Es ist aus mit ihr! Judith, du bist ein Kind!

J u d i t h. Jawohl, gottlob! Denk dir nur, das wußt'
ich nicht mehr, ich hatte mich ordentlich in die Ver-
nunft hineingespielt wie in einen Kerker, und es
war hinter mir zugefallen, schrecklich, fest wie eine
eherne Tür. *(Lachend.)* Nicht wahr, ich bin morgen
noch nicht alt, und übermorgen auch noch nicht!
Komm, wir wollen wieder spielen, aber was Besseres.

Eben war ich ein böses Weib, das einen umgebracht
hatte! Hu! Sag mir, was ich nun sein soll!

Mirza *(abgewandt)*. Gott! Sie wird wahnsinnig.

Judith. Sag mir, was ich sein soll! Schnell! Schnell!
Sonst werd' ich wieder, was ich war.

Mirza *(deutet auf Holofernes)*. Sieh!

Judith. Meinst du, daß ich's nicht mehr weiß? O doch!
doch! Ich bettle ja bloß um den Wahnsinn, aber es
dämmert nur hin und wieder ein wenig in mir,
finster wird's nicht. In meinem Kopf sind tausend
Maulwurfslöcher, doch sie sind alle für meinen großen
dicken Verstand zu klein, er sucht umsonst hineinzu-
kriechen.

Mirza *(in höchster Angst)*. Der Morgen ist nicht mehr
fern; sie martern mich und dich zu Tode, wenn sie
uns hier finden; sie reißen uns Glied nach Glied ab.

Judith. Glaubst du wirklich, daß man sterben kann?
Ich weiß wohl, daß alle das glauben und daß man's
glauben soll. Sonst glaubt' ich's auch, jetzt scheint mir
der Tod ein Unding, eine Unmöglichkeit. Sterben!
Ha! Was jetzt in mir nagt, wird ewig nagen, das
ist nicht wie Zahnweh oder ein Fieber, es ist schon
eins mit mir selbst, und es reicht aus für immer. Oh,
man lernt was im Schmerz. *(Sie deutet auf Holofernes.)* Auch der ist nicht tot! Wer weiß, ob nicht
er es ist, der mir dies alles sagt, ob er sich nicht
dadurch an mir rächt, daß er meinen schaudernden
Geist mit dem Geheimnis seiner Unsterblichkeit be-
kannt macht!

Mirza. Judith, hab Erbarmen und komm!

Judith. Ja, ja, ich bitte dich, Mirza, sag du mir
immer, was ich tun soll, ich hab eine Angst, noch
selbst etwas zu tun.

Mirza. So folge mir.

Judith. Ach, du mußt aber das Wichtigste nicht vergessen. Steck den Kopf dort in den Sack, den laß ich
hier nicht zurück. Du willst nicht? Dann geh ich keinen Schritt! *(Mirza tut's mit Schaudern.)* Sieh, der
Kopf ist mein Eigentum, den muß ich mitbringen,
damit man mir's in Bethulien glaubt, daß ich — — —

weh, weh, man wird mich rühmen und preisen, wenn
ich's nun verkünde, und noch einmal wehe, mir ist,
als hätt' ich auch daran vorher gedacht!

M i r z a *(will gehen)*. Jetzt?

J u d i t h. Mir wird's hell. Hör, Mirza, ich will sagen,
du hast's getan!

M i r z a. Ich?

J u d i t h. Ja, Mirza! Ich will sagen, mir sei in der
Stunde der Entscheidung der Mut abtrünnig geworden, aber über dich sei der Geist des Herrn gekommen,
und du habest dein Volk von seinem größten Wider-
sacher erlöst. Dann wird man mich verachten wie ein
Werkzeug, das der Herr verworfen hat, und dir wird
Preis und Lobgesang in Israel.

M i r z a. Nimmermehr.

J u d i t h. Oh, du hast recht! Es war Feigheit. Ihr
Jubelruf, ihr Zimbelklang und Paukenschall wird
mich zerschmettern, und dann hab ich meinen Lohn.
Komm! *(Beide ab.)*

Die Stadt Bethulien, wie im dritten Aufzug.

*Öffentlicher Platz mit Aussicht auf das Tor. Wachen am
Tor. Viel Volk, liegend und stehend, in mannigfaltigen
Gruppen. Es wird Morgen.*

*Zwei Priester von einer Gruppe Weiber, Mütter usw.
umringt.*

E i n W e i b. Habt ihr uns betrogen, als ihr sagtet,
daß unser Gott allmächtig sei? Ist er wie ein Mensch,
daß er nicht halten kann, was er verspricht?

P r i e s t e r. Er ist allmächtig. Aber ihr selbst habt ihm
die Hände gebunden. Er darf euch nur helfen, wie
ihr's verdient.

W e i b e r. Wehe, wehe, was wird mit uns geschehn?

P r i e s t e r. Sehet hinter euch, dann wisset ihr, was
vor euch steht.

E i n e M u t t e r. Kann eine Mutter sich so versündigen,

daß ihr unschuldiges Kind verdursten muß? *(Hält ihr Kind empor.)*

Priester. Die Rache hat keine Grenzen, denn die Sünde hat keine.

Mutter. Ich sage dir, Priester, eine Mutter kann sich nicht so versündigen! In ihrem Schoß mag der Herr, wenn er zürnt, ihr Kind noch ersticken; ist's geboren, so soll's leben. Darum gebären wir, daß wir unser Selbst doppelt haben, daß wir's im Kinde, wo es uns rein und heilig anlacht, lieben können, wenn wir's in uns hassen und verachten müssen.

Priester. Du schmeichelst dir! Gott läßt dich gebären, damit er dich in deinem Fleisch und Blut züchtigen, dich noch übers Grab hinaus verfolgen kann!

Der zweite Priester *(zum ersten)*. Gibt's nicht schon genug Verzweifelte in der Stadt?

Erster Priester. Willst du müßig sein, da du säen solltest? Treib deine Wurzel, da der Boden locker ist!

Mutter. Mein Kind soll nicht für mich leiden. Nimm's hin! ich will mich in meine Kammer verschließen und mich auf all meine Sünden besinnen und mir für jede eine zweifache Marter antun; ich will mich peinigen, bis ich sterbe oder bis Gott selbst vom Himmel herunterruft: Hör auf!

Zweiter Priester. Behalt dein Kind und pfleg's. Das will der Herr, dein Gott!

Die Mutter *(drückt es an die Brust)*. Ja, ich will es so lange ansehen, bis es bleich wird, bis sein Wimmern in sich selbst erstickt und sein Atem stockt; ich will keinen Blick von ihm verwenden, sogar dann nicht, wenn die Qual sein Kindesauge vor der Zeit klug macht und es mich wie ein Abgrund von Elend daraus anschauert. Ich will's tun, um zu büßen wie keine. Aber wenn es nun noch klüger wird und nach oben blickt und die Hände ballt?

Erster Priester. Dann sollst du sie falten! Und sollst mit Schaudern erkennen, daß auch ein Kind sich gegen Gott empören kann.

Die Mutter. Moses' Stab schlug an den Felsen, und

ein kühler Quell sprang hervor. Das war ein Fels!
(Schlägt sich an die Brust.) Verfluchte Brust, was bist
du? Von innen drängt die glühendste Liebe; von
außen pressen dich heiße, unschuldige Lippen, doch
gibst du keinen Tropfen! Tu's! tu's! Saug mir jede
Ader aus und gib dem Wurm noch einmal zu trinken!

Z w e i t e r   P r i e s t e r *(zum ersten)*. Rührt's dich
nicht?

E r s t e r   P r i e s t e r. Ja. Aber ich sehe in der Rüh-
rung immer nur eine Versuchung zur Untreue an
mir selbst und unterdrücke sie. Bei dir löst sich der
Mann in Wasser auf, du kannst ihn im Schnupftuch
auffangen oder ein Veilchen damit erquicken.

Z w e i t e r   P r i e s t e r. Tränen, von denen man selbst
nichts weiß, sind erlaubt.

E i n   a n d e r e s   W e i b *(auf die Mutter deutend)*. Hast
du keinen Trost für die?

E r s t e r   P r i e s t e r *(kalt)*. Nein!

D a s   W e i b. Dann sitzt dein Gott nirgends als auf
deinen Lippen!

E r s t e r   P r i e s t e r. Dies Wort allein verdient, daß
Bethulien dem Holofernes in die Hände fällt. Dir
auf die Seele wälz ich den Untergang der Stadt. Du
fragst, warum *die* leidet? Weil *du* ihre Schwester bist!

(Gehen vorüber. — Zwei Bürger, die den Auftritt sahen,
treten hervor.)

E r s t e r. Durch mein eignes Leid hindurch fühl ich
dieses Weibes Leid. Oh, es ist entsetzlich!

Z w e i t e r. Es ist das Entsetzlichste noch nicht. Das
tritt erst dann ein, wenn es dieser Mutter einfällt,
daß sie ihr Kind essen kann! *(Er schlägt sich vor die*
Stirn.) Ich fürchte, meinem Weibe ist das schon ein-
gefallen.

E r s t e r. Du rasest!

Z w e i t e r. Um sie nicht totschlagen zu müssen, bin
ich aus dem Hause geflohen. Lüg nicht! Ich rannte
fort, weil mich's schauderte vor der unmenschlichen
Speise, nach der sie lüstern schien, und weil ich mich
doch fürchtete, daß sie mitessen könnte. Unser Söhn-
lein lag im Verscheiden; sie, in ungeheurem Jammer,

war zu Boden gestürzt. Auf einmal erhob sie sich und
sagte leise, leise: „Ist's denn ein Unglück, daß der
Knabe stirbt?" Dann beugte sie sich zu ihm nieder
und murmelte wie unwillig: „Noch ist Leben in ihm!"
Mir ward's gräßlich klar; sie sah in ihrem Kinde nur
noch ein Stück Fleisch.

E r s t e r. Ich könnte hingehen und dein Weib nieder-
stechen, ob sie gleich meine Schwester ist!

Z w e i t e r. Du kämst zu früh oder zu spät. Wenn sie
sich nicht tötete, bevor sie aß, so tat sie's gewiß, als
sie gegessen hatte.

Ein dritter Bürger *(tritt hinzu)*. Vielleicht
kommt uns noch Rettung. Heut' ist der Tag, an welchem Judith wiederkehren wollte!

Z w e i t e r. Jetzt noch Rettung? Jetzt noch? Gott!
Gott! Ich widerrufe alle meine Gebete! Daß du sie
erhören könntest, nun es zu spät ist, das ist ein Gedanke, den ich noch nicht dachte, den ich nicht er-
trage. Ich will dich rühmen und preisen, wenn du
deine Unendlichkeit auch am wachsenden Elend dar-
tun, wenn du meinen starrenden Geist über sein Maß
hinaustreiben, wenn du einen Greuel vor mein Auge
stellen kannst, der mich die Greuel, die ich schon erblickte, vergessen und verlachen macht. Aber ich
werde dich verfluchen, wenn du nun noch zwischen
mich und mein Grab trittst, wenn ich Weib und Kind
begraben und sie mit Erde, statt mit dem Lehm und
Moder meines eigenen Leibes bedecken muß!

(Gehen vorüber.)

M i r z a *(vor dem Tor)*. Macht auf, macht auf!

W a c h e n. Wer da?

M i r z a. Judith ist's. Judith mit dem Kopf des Holofernes.

W a c h e n *(rufen in die Stadt hinein, während sie öffnen)*. Hallo! Hallo! Judith ist wieder da!

*(Volk versammelt sich. Älteste und Priester kommen. —
Judith und Mirza treten ins Tor.)*

M i r z a *(wirft den Kopf hin)*. Kennt ihr den?

V o l k. Wir kennen ihn nicht!

A c h i o r *(tritt herzu und fällt auf die Knie)*. Groß

bist du, Gott Israels, und es ist kein Gott außer dir!
(Er steht auf.) Das ist des Holofernes Haupt! *(Er
faßt die Hand der Judith.)* Und dies ist die Hand,
in die er gegeben ward? Weib, mir schwindelt, wenn
ich dich ansehe!

D i e   Ä l t e s t e n. Judith hat ihr Volk befreit! ihr
Name werde gepriesen!

V o l k *(sammelt sich um Judith).* Judith Heil!

J u d i t h. Ja, ich habe den ersten und den letzten Mann
der Erde getötet, damit du *(zu dem einen)* in Frieden deine Schafe weiden, du *(zu einem zweiten)*
deinen Kohl pflanzen und du *(zu einem dritten)* dein
Handwerk treiben und Kinder, die dir gleichen, zeu-
gen kannst!

S t i m m e n   i m   V o l k. Auf! Hinaus ins Lager! Jetzt
sind sie ohne Herrn!

A c h i o r. Wartet noch! Noch wissen sie nicht, was
in der Nacht geschah! Wartet, bis sie uns selbst das
Zeichen zum Angriff geben! Wenn ihr Geschrei erschallt, dann wollen wir unter sie fahren.

J u d i t h. Ihr seid mir Dank schuldig, Dank, den ihr
mir nicht durch die Erstlinge eurer Herden und eurer
Gärten abtragen könnt! Mich trieb's, die Tat zu tun;
an euch ist's, sie zu rechtfertigen! Werdet heilig und
rein, dann kann ich sie verantworten!

(Man hört ein wildes verworrenes Geschrei.)

A c h i o r. Horcht, nun ist's Zeit!

E i n   P r i e s t e r *(deutet auf den Kopf).* Steckt den
auf einen Spieß und tragt ihn voran!

J u d i t h *(tritt vor den Kopf).* Dies Haupt soll sogleich
begraben werden!

W a c h e n *(rufen von der Mauer herunter).* Die Wächter
am Brunnen fliehen in wilder Unordnung. Einer der
Hauptleute tritt ihnen in den Weg — sie zücken das
Schwert gegen ihn. Einer der Unsrigen kommt ihnen
entgegengerannt. Es ist Ephraim. Sie sehen ihn gar
nicht.

E p h r a i m *(vorm Tor).* Öffnet, öffnet!

*(Das Tor wird geöffnet. Ephraim stürzt herein. Das
Tor bleibt offen. Man sieht vorüberfliehende Assyrier.)*

E p h r a i m. Spießen, auf dem Rost braten hätten sie
mich können. All dem bin ich entgangen. Nun Holo-
fernes kopflos ist, sind sie's alle. Kommt, kommt! Ein
Narr, der sich noch fürchtet!
A c h i o r. Auf, auf!
(Sie stürmen aus dem Tor; man hört Stimmen rufen:
Im Namen Judiths!)
J u d i t h *(wendet sich mit Ekel).* Das ist Schlächtermut!
(Priester und Älteste schließen um sie einen Kreis.)
E i n e r   d e r   Ä l t e s t e n. Du hast die Namen der
Helden ausgelöscht und den deinigen an ihre Stelle
gesetzt!
D e r   e r s t e   P r i e s t e r. Du hast dich um Volk und
Kirche hoch verdient gemacht. Nicht mehr auf die
dunkle Vergangenheit, auf *dich* darf ich von jetzt
an deuten, wenn ich zeigen will, wie groß der Herr
unser Gott ist!
P r i e s t e r *und* Ä l t e s t e. Fordre deinen Lohn!
J u d i t h. Spottet ihr mein? *(Zu den Ältesten.)* Wenn's
nicht heilige Pflicht war, wenn ich's lassen durfte, ist's
dann nicht Hochmut und Frevel? *(Zu den Priestern.)*
Wenn das Opfer verröchelnd am Altar niederstürzt,
quält ihr's mit der Frage, welchen Preis es auf sein
Blut und Leben setzt? *(Nach einer Pause, wie von*
einem plötzlichen Gedanken erfaßt.) Und doch, ich
fordre meinen Lohn! Gelobt mir zuvor, daß ihr ihn
nicht weigern wollt!
Ä l t e s t e *und* P r i e s t e r. Wir geloben's! Im Namen
von ganz Israel!
J u d i t h. So sollt ihr mich töten, wenn ich's begehre!
A l l e *(entsetzt).* Dich töten?
J u d i t h. Ja, und ich hab euer Wort.
A l l e *(schaudernd).* Du hast unser Wort!
M i r z a *(ergreift Judith beim Arm und führt sie vor-*
wärts, aus dem Kreis heraus). Judith! Judith!
J u d i t h. Ich will dem Holofernes keinen Sohn ge-
bären. Bete zu Gott, daß mein Schoß unfruchtbar
sei! Vielleicht ist er mir gnädig!

ZU HEBBELS »JUDITH«

Während der letzten Monate seines Aufenthaltes in München sah Hebbel 1838 in der Alten Pinakothek ein Bild *Judith* von Frans de Vrient gen. Floris (1516—1570), das ihm starken Eindruck machte. Dieser Eindruck wurde weiter vertieft durch ein Phantasiestück von Weisflog *Bericht des Hof-Cantoris Hilarius Grundmaus* Anno Domini 1615 über eine Aufführung des „wütenden Holofernes", einer „gar köstlichen Oper". Dadurch wurde er auf den biblischen Stoff hingelenkt, den er in seinem Drama *Judith* jedoch ziemlich frei gestaltete.

Im März 1839 kehrte Hebbel nach dreijähriger Abwesenheit nach Hamburg zurück und begann Anfang Oktober die Arbeit an der *Judith*, die er im Dezember 1839 entscheidend förderte und am 28. Januar 1840 abschloß.

Über das Gelingen dieses Werkes war Hebbel glücklich, aber noch während der Arbeit äußerte er in einem Brief an die Schwester seines 1838 verstorbenen Freundes Rousseau Zweifel an seiner Aufführbarkeit, weil der Stoff sehr bedenklich sei und die Hauptcharaktere so an der letzten Grenze des Darstellbaren stünden, daß eine Aufführung allenthalben mißlingen müsse, wenn er nicht auf ganz ausgezeichnete Schauspieler zählen könne.

Diese Bedenken veranlaßten ihn, je ein Exemplar dieses Dramas an Uhland und Tieck zu senden. An Uhland schreibt er gleichzeitig: „An einem einfachen Worte von Ihnen, sei es günstig oder nicht, liegt mir mehr als an einem Trompetentusch der gesamten deutschen Journalistik." Uhland und Tieck antworteten beide nicht; wie sich später zeigte, nicht deshalb, weil sie ihm ihre Anerkennung versagen wollten, sondern aus äußeren Zufälligkeiten heraus.

Dagegen sandte Amalie Schoppe, Hebbels Wohl-

täterin, die ihm als erste die Wege zu einer höheren
Ausbildung geebnet hatte, das Anfang Februar 1840
als Bühnenmanuskript gedruckte Werk an die Schau-
spielerin Auguste Stich-Crelinger, welche die *Judith* mit
Begeisterung las und Hebbel riet, er möge „Alles und
Jedes beiseite werfen und diese Richtung zu seinem
Lebenszwecke erwählen".

Die Uraufführung fand am 6. Juli 1840 am Berliner
Hoftheater mit Auguste Crelinger als *Judith* statt. Die
erste Wiederholung folgte am 9. Juli. Die Kritik war
geteilt zwischen widerwilliger Anerkennung und Ab-
lehnung.

Am 1. Dezember 1840 folgte eine Aufführung in
Hamburg, zu der Hebbel das Souffleurbuch aus Berlin
besorgte, weil die Darstellerin der Titelrolle, Frau Lenz,
sich weigerte, das Stück in der Urfassung zu spielen.
Während die Änderungen für die Berliner Aufführung
von Willibald Alexis besorgt worden waren, schrieb
Hebbel für die Hamburger Aufführung selbst einen
Theaterschluß, den er später für die Erstaufführung am
Wiener Burgtheater am 1. Februar 1849 und die Berliner Wiederaufnahme 1851 bestehen ließ. Am Burgtheater spielte Hebbels Frau Christine geb. Enghaus die
Titelrolle. Das Stück wurde in Wien oft und mit steigen-
dem Erfolg wiederholt. 1852 erfolgte sogar eine Aufführung in Bukarest.

Gedruckt erschien *Judith* 1841 in Hamburg bei Hoff-
mann & Campe.

Bei einer seiner Audienzen beim bayerischen König
Maximilian II. setzte Hebbel Plan und Idee seiner
Judith genau auseinander und deutete an, daß er sich
mit Änderungsplänen für dieses Werk trage. In Hebbels
Nachlaß fanden sich tatsächlich 15 Zettel mit Notizen
zur Umarbeitung der *Judith,* die der Dichter aber nicht
mehr vornahm.

Friedrich Hebbel

WERKE IN RECLAMS UNIVERSAL-BIBLIOTHEK

PHILIPP RECLAM JUN. STUTTGART

Friedrich Hebbel

Tagebücher

Auswahl und Nachwort von Prof. Dr. Anni Meetz
432 Seiten, 8 Bildtafeln und 2 Faksimiles
UB Nr. 8247-52

„Es soll ein Notenbuch meines Herzens sein und diejenigen Töne, welche mein Herz angibt, getreu zu meiner
Erbauung in künftigen Zeiten aufbewahren" schrieb
Friedrich Hebbel, als er am 23. März 1835 sein Tagebuch
begann, das er mit wechselndem Eifer fast dreißig Jahre
lang, bis wenige Wochen vor seinem Tode, geführt hat.
„Ein großes Heldengedicht" (Richard M. Meyer), „eine
Schatzkammer des Geistes" (Ernst Beutler) und „ein lite-
ratur-historisches Denkmal ersten Ranges" (Wilhelm Sche-
rer) hat man die berühmtesten deutschen Tagebücher genannt, die in einer zeitgemäßen und hübschen Auswahl
herausgegeben zu haben das Verdienst von Prof. Dr. Anni
Meetz (Universität Kiel) und des Verlages Philipp
Reclam jun., Stuttgart, ist.

Oberösterreichische Nachrichten

PHILIPP RECLAM JUN. STUTTGART

Universal-Bibliothek